OX
i\ly

GW00400276

To renew this book, phone 0845 1202811 or visit
our website at www.libcat.oxfordshire.gov.uk
(for both options you will need your library PIN
number available from your library),
or contact any Oxfordshire library

OXFORDSHIRE
COUNTY COUNCIL

L017-64 (01/13)

3303320288

Franz Hohler liebt kurze Erzählungen, auch er gilt als »Meister der kleinen Form«. Seit Jahren sammelt er Geschichten, von denen keine länger als eine Seite ist. Seine Sammlung reicht von Epiktet bis Alexander Kluge, von Kurt Schwitters bis Anne Weber, von Thomas Bernhard bis Christine Nöstlinger. Traurige, lustige, anrührende, grotesk zugespitzte und mit viel Hintersinn erzählte Geschichten, denen nicht nur die miniaturhafte Kürze gemeinsam ist. Jede von ihnen entfaltet auf knappstem Raum einen Kosmos, der den Alltag und das gewohnte Leben rasch verblassen lässt und eine viel reichere Welt der Phantasie, des Unwahrscheinlichen und kaum für möglich Gehaltenen zum Vorschein bringt. 113 einseitige Geschichten hat Franz Hohler in diesem Band versammelt – 113 Seiten überraschender und immer wieder von Neuem bezwingender Lesegenuss.

FRANZ HOHLER wurde 1943 in Biel, Schweiz, geboren, er lebt heute in Zürich und gilt als einer der bedeutendsten Erzähler seines Landes. Franz Hohler ist mit vielen Preisen ausgezeichnet worden, u.a. erhielt er 2002 den Kasseler Literaturpreis für grotesken Humor, 2005 den Kunstpreis der Stadt Zürich, 2013 den Solothurner Literaturpreis, 2014 den Alice-Salomon-Preis und den Johann-Peter-Hebel-Preis.

113 einseitige Geschichten

herausgegeben von Franz Hohler

btb

MIX
Papier aus verantwor-
tungsvollen Quellen
FSC
www.fsc.org
FSC® C014496

Verlagsgruppe Random House FSC® N001967

1. Auflage
Genehmigte Taschenbuchausgabe September 2018
Copyright © 2016 btb Verlag in der
Verlagsgruppe Random House GmbH,
Neumarkter Str. 28, 81673 München
Umschlaggestaltung: semper smile, München
Umschlagmotiv: © plainpicture/Cultura/Mischa Keijser
Druck und Einband: GGP Media GmbH, Pößneck
cb · Herstellung: sc
Printed in Germany
ISBN 978-3-442-71695-1

www.btb-verlag.de
www.facebook.com/btbverlag

INHALT

VORWORT

Ich habe 113 Geschichten gesammelt, die nicht länger als eine Druckseite sind, und lege sie Ihnen hiermit unter dem Titel »einseitige Geschichten« zur Lektüre vor.

Zürich, Oktober 2016, Franz Hohler

JÜRG SCHUBIGER

Die Einladung

Sommer im Garten. Unter dem Birnbaum blinkten die Insekten. Sie summten, ich summte mit. Ich stützte eine Malve mit einem Stecken, zupfte etwas Unkraut, tat dies und das und zwischendurch nichts.

Da sprach eine Biene mich an: Heute hat unsere Königin Hochzeit, sagte sie. Wir suchen einen Brautführer, mein Volk und ich. Nun ist die Wahl auf dich gefallen.

Ich rieb mir die trockenen Erdkrusten von den Fingern. Danke, sagte ich. Und was soll ich anziehen?

Flügel, sagte die Biene.

WJATSCHESLAW CHARTSCHENKO

Doch zu gebrauchen

Ich habe ein Buch mit kurzen Geschichten geschrieben, es zwanzig Mal ausgedruckt und zu verschiedenen Verlagen und zu den dicken Literaturzeitschriften gebracht. Bei den Zeitschriften hieß es, dass die Geschichten zu kurz seien, und in den Verlagen hat man einfach hellauf gelacht, weil dort nicht Erzählungen, sondern nur Romane angenommen werden. Ich kam niedergeschlagen nach Hause, stapelte die viertausend bedruckten Seiten in einer Ecke im Wohnzimmer und legte mich betrübt aufs Sofa. Ich musste fast heulen, die Kater aber hüpften fröhlich über den Papierhaufen.

Da kam meine Frau zu mir. Sie kocht selbst in Handarbeit Seife, kreiert Parfums und verschickt ihre Erzeugnisse in Päckchen in die ganze Welt an verrückte Frauen wie sie selbst, Seifensiederinnen und Duftmacherinnen. Natascha bat mich um die Blätter mit den Geschichten, sie wollte sie zusammenknüllen und damit die leeren Ecken in den Kartons ausstopfen. So würden die Fläschchen beim Transport nicht klappern. Ich dachte kurz nach und freute mich. Schön, wenn meine Schreibereien der Gesellschaft dienlich sein könnten. Jetzt schreiben mir die verrückten Seifensiederinnen und Duftkreateurinnen Briefe, aus Rom, New York, Paris, Dakar, Rustawi. Sie schätzen die kurzen Geschichten.

ROR WOLF

Gelächter

Möglicherweise wäre jetzt der geeignete Moment, in ein Gelächter auszubrechen. Aber vom Lachen darf nach einem Blick in die unmittelbare Vergangenheit nicht mehr die Rede sein. Dennoch wäre hier die Stelle, wo ich anfangen müsste, zu lachen. Ich lache sehr gern, allerdings lache ich selten. Ich lache so wenig, dass ich mich bemühen werde, dieses Kapitel so rasch wie möglich zu Ende zu bringen. Vorher aber betrete ich eine Wirtschaft. Man empfängt mich mit Gelächter. Schon beim Eintreten in das Lokal werde ich von einigen Anwesenden aufgefordert, mitzulachen. Mir ist, sage ich, momentan nicht zum Lachen zumute. Warum darum wenn schon denn schon gemmer gemmer, sagt jemand und beginnt zu lachen. Auf meine Frage, warum er lache, antwortet er: Wenn ich lache, dann lache ich eben. Es kann nicht meine Aufgabe sein, hier in aller Ausführlichkeit die Folgen zu schildern, die sein Lachen unter den Anwesenden auslöste. Ich kann nur darauf hinweisen, dass ich mich damals in Mainz befand, in der Gaststätte BIERTUNNEL. Diese abschließende Bemerkung führt uns, denke ich, den ganzen Ernst meiner Lage vor Augen.

LYDIA DAVIS

Der Frischwassertank

Ich starre vier Fische in einem Frischwassertank im Supermarkt an. Sie schwimmen in Reih und Glied nebeneinander gegen eine schwache Strömung an, die durch einen Wasserstrahl erzeugt wird, und sie öffnen und schließen ihre Mäuler und starren, jeder mit dem einen Auge, das ich sehen kann, in die Ferne. Während ich ihnen durch das Glas zusehe und denke, wie sie frisch von hier auf den Tisch kämen, wo sie doch jetzt noch am Leben sind, und während ich hin und her rechne, ob ich einen fürs Abendessen kaufen soll, sehe ich gleichzeitig, wie hinter ihnen oder durch sie hindurch eine größere, schemenhafte Gestalt den Frischwassertank verdunkelt: meinen Schatten auf dem Glas, den Schatten des Räubers.

FRANZ KAFKA

Zerstreutes Hinausschaun

Was werden wir in diesen Frühlingstagen tun, die jetzt rasch kommen? Heute früh war der Himmel grau, geht man aber jetzt zum Fenster, so ist man überrascht und lehnt die Wange an die Klinke des Fensters.

Unten sieht man das Licht der freilich schon sinkenden Sonne auf dem Gesicht des kindlichen Mädchens, das so geht und sich umschaut, und zugleich sieht man den Schatten des Mannes darauf, der hinter ihm rascher kommt.

Dann ist der Mann schon vorübergegangen und das Gesicht des Kindes ist ganz hell.

ALEXANDER SNEGIRJOW

Keine Angst, junge Frau!

Tanja streckt das Geld durchs Fensterchen der Verkaufsbude. Ein Mann hinter ihr sagt:

»Na, wie heißen Sie, junge Frau?«

Tanja sieht ihn kurz von der Seite an.

»Warum so abweisend? Ich heiße Wadik.«

Ein Bürstenschnitt von undefinierbarer Farbe, von undefinierbarer Farbe auch die Kleidung. Grinst und wechselt von einem dicken Bein im Stiefel mit langer, gekrümmter Spitze auf das andere dicke Bein in genau so einem Stiefel.

Die Verkäuferin gibt Tanja eine Schachtel »Kent«.

»Würstchen!«, so Wadik zur Verkäuferin.

Zu Tanja: »Wie wär's, wenn wir Bekanntschaft schließen?«

»Ich schließe auf der Straße keine Bekanntschaften.«

»Wohl nur im Internet? Ha-ha. Keine Angst, ich bin Milizionär.« Und holt seine Erkennungsmarke heraus.

Tanja will schon fast weglaufen, lacht dann aber nur.

»Was ist daran so komisch? Versteh' ich nicht.«

Tanja läuft doch weg.

Wadik spuckt aus.

ERNST JANDL

der schmutzige bach

nachdem er zugesehen hatte wie sein vier jahre jüngerer bruder der sich gern zu weit übers wasser beugte allmählich das überge- wicht bekam und in den schmutzigen bach fiel, ergriff er ihn an den hosenträgern und zog ihn langsam in die höhe. dann nahm er seine hand und führte ihn durch den garten ins haus.

erst als er im spiegel vor den ihn die mutter gestellt hatte sein gesicht erkannte, fing der knabe der in den schmutzigen bach gefallen war zu weinen an.

der ist gestraft genug, bat sein vier jahre älterer bruder um erlassung der schläge.

CHRISTIAN HALLER

Wunsch

Ich wollte ein Igel werden. Aus einem naheliegenden Grund: Er hat rundherum Stacheln, ein spitzes Maul und schnelle Beine. Alles Eigenschaften, die im Leben ungeheuer nützlich sind.

Also begann ich zu zeichnen.

Ich machte einen Kreis mit vielen Stacheln.

So!

Ich dachte, wenn ich nur immer zeichne, was ich werden will, werde ich es auch eines Tages sein.

Doch Mutter fand, meine Igel hätten keine Schnauze, man wisse nicht, wo vorn und wo hinten sei, und überhaupt verbrauchte ich zu viel Schreibpapier.

CHRISTINE NÖSTLINGER

Ameisen

Im Hof unten, bei den Mülltonnen, sitzt immer der Gerhard. Jeden Tag hockt er dort. Stundenlang. Den Ameisen schaut er zu. Die Ameisen kommen aus einem Riss in der Hausmauer. In Dreierreihen wandern sie die Mauer hinunter, über den Betonboden und dann die Mülltonnen hinauf. Wenn sie aus den Mülltonnen wieder herauskommen, tragen sie die Beute mit sich: ein Reiskorn, einen Brotbrösel, eine Winzigkeit Apfelschale und allerhand Krümel, denen man nicht ansieht, woraus sie bestehen. Der Hubert versteht nicht, warum der Gerhard jeden Tag stundenlang den Ameisen zuschaut. Und fragen kann er ihn ja auch nicht danach. Der Gerhard kann nicht richtig reden. Bloß »Mamma« und »nein« kann er sagen. Alles andere, was er sagt, ist ein unverständliches Gebrabbel, aus dem nur seine Mama schlau wird.

»So was von stumpfsinniger Glotzerei«, sagt der Hubert zu den anderen Kindern. Und die anderen Kinder geben ihm Recht. Aber manchmal, wenn weder der Gerhard noch die anderen Kinder im Hof sind, dann hockt sich der Hubert auch zu den Mülltonnen und schaut den Ameisen zu. Ganz im Geheimen nämlich hat er den Verdacht, dass es da schon was zu sehen gibt, etwas, das unheimlich aufregend ist, etwas, das nur der Gerhard weiß.

ANNE WEBER

Zielstrebigkeit

Ida sitzt auf dem Balkon. Aufrecht wie ein i läuft eine flaumige Feder auf dem Geländer vorbei. Ida nähert sich. Die Miniaturflagge wird von einer Ameise emporgehalten, deren aberwitzigen Sprint bald ein unsichtbares Hindernis aufhält. Ida betrachtet die von dem winzigen Fahnenträger zurückgelegte und die noch zurückzulegende Strecke. Unzählige Ameisen eilen mit größter Überzeugung das Geländer entlang, die einen von rechts nach links, die anderen, nicht weniger entschlossen, in die entgegengesetzte Richtung. Ida setzt sich wieder. Lange betrachtet sie die parallelen Rennstrecken, auf denen eigensinnige kleine Wesen ein unklares Ziel verfolgen, die Feder, die auf halber Strecke stehengeblieben ist.

Man könnte wirklich meinen, sie wissen, wo sie hin wollen, sagt Ida.

FRANZ HOHLER

Das Blatt

Eine Ameise schleppt mit Mühe ein Blatt von weither zu ihrem Ameisenhaufen.

Wie sinnlos, denkst du, direkt beim Ameisenhaufen ist der Boden doch voll von solchen Blättern.

Was du nicht weißt: dieses Blatt ist ein Liebesbrief, den die Ameise einer andern bringt, und würde sie einfach neben dem Haufen ein Blatt auflesen, wäre es kein Liebesbrief, denn die wirkliche Liebe kommt von weither.

KAREL ČAPEK

Der Ohrwurm

Du elendes, nichtsnutziges, hässliches Untier, das meine jungen Pflänzlinge benagt, die Keime abfrisst, kaum dass sie sprießen, in zielloser und widerwärtiger Eile in jedem Winkel des Hauses herumkrabbelt, sich unter meinem Kissen versteckt und in meinem Wasserglas schwimmt, du gekrümmter Wüterich, der mit den Scheren nach mir schnappt, nun sag mir doch, wozu bist du überhaupt auf der Welt? Welchem Zweck dienst du? Welchen Nutzen bringst du? Gibt es ein Geschöpf unter der Sonne, das nutzloser wäre als du?

»Ich bin nicht nutzlos, Mensch; ich habe in meinem Leben etwas unerhört Nützliches getan.«

Was hast du Nützliches getan, Ohrwurm?

»Ich habe neue Ohrwürmer in die Welt gesetzt.«

ALBRECHT VON HALLER

Der Hahn, die Tauben und der Geier

Einige Tauben suchten sich an etwas Korn zu sättigen. Ein Haushahn kam dazu, brauchte Gewalt und vertrieb die Tauben. Im ersten Verdruss über das erlittene Unrecht sahen sie einen Geier, der eben über dem Hofe schwebte, und riefen ihn an, sie zu rächen. Der Geier kam, zerriss den Hahn und bald darauf die Tauben, die sich über den Tod ihres Feindes freuten.

LUTZ RATHENOW

Ein böses Ende

Der König verkaufte jeden Tag ein Stück seines Staates und kaufte sich für das verdiente Geld einen Soldaten.

Als er Tag für Tag Stück für Stück verschachert hatte, besaß er fast kein Land mehr, aber eine stattliche Armee. Mit dieser eroberte er sein ehemaliges Reich zurück und noch ein paar Quadratkilometer hinzu.

Das neu gewonnene Land hätte der König verkaufen können, um seine Armee zu vergrößern. Um mit dieser anschließend das Verkaufte zurückzuholen – und wieder ein Stück dazu… aber jeder würde ihn durchschauen.

Er verzichtete auf weitere Kriege und entließ die teure Armee. Jetzt verfügte er über ausreichend Land und genügend Geld. Nur die entlassenen Soldaten waren unzufrieden und stürzten den König.

PETER VON MATT

Merkwürdige Begegnung im Grunewald

Das akademische Jahr 1992/93 verbrachte ich am Wissenschafts-
kolleg in Berlin. Ich wohnte in einer alten Villa an der Koenigsallee, sieben Minuten vom Kolleg entfernt, und legte diese Strecke
täglich mehrmals zurück, bei Licht und im Dunkeln. Da begab
es sich, dass Königin Elizabeth von England Berlin besuchte. Das
Volk, das seinen eigenen König und auch das zugehörige Schloss
längst verloren hatte, freute sich und jubelte ihr zu. Sie wohnte
irgendwo im Grunewald, von den Autogrammjägern und den
ebenso zahlreichen Wildschweinen sorgfältig abgeschirmt.

An einem dieser Abende, es war schon tiefe Nacht, ging ich
wieder die Koenigsallee entlang. Straße und Gehsteig waren
leer. Es rauschte in den Bäumen; sonst herrschte die Lautlosig-
keit vornehmer Wohngebiete. Auf einmal gedämpftes Motoren-
donnern. Mitten auf der Straße nahten sechs Motorräder, je zu
zweit, darauf behelmte Polizisten, hinter ihnen eine große Limou-
sine, dann nochmals sechs Motorräder. Das Innere des Wagens
war erleuchtet. Im Fond saß ganz allein die Königin von England.
Da es draußen dunkel war und innen hell, sah sie nichts von der
Umgebung, wusste also nicht, ob begeisterte Bürger am Strassen-
rand standen. Es war nur einer da, ich. Die Majestät aber musste
mit allem rechnen und durfte die gastfreundliche Stadt nicht vor
den Kopf stossen. Daher grüßte sie unentwegt nach beiden Seiten,
freundlich lächelnd und mit winkender Hand.

Als der Konvoi längst wie ein Phantom Richtung Hagenplatz
entschwunden war, stand ich immer noch an meinem Platz, und
das Bild der ins Leere grüßenden Monarchin senkte sich langsam und unauslöschlich in meine Erinnerung.

ANNE WEBER

Kaiserin Ida

Sich mit Würde und Erhabenheit zu bewegen ist, wenn man Idas Anlagen hat, überhaupt kein Problem. Es genügt, beim Laufen die Füße ein paar Millimeter höher anzuheben als der gewöhnliche Spaziergänger, den Blick auf einen unsichtbaren Punkt am Horizont zu richten. Kopfhaltung: stolz, Blick: abwesend, Gesten: gewichtig. Ruhe, vor allem. Ruhe und Distanz.

Ida ist die geborene Kaiserin.

In ihrer Erdgeschosswohnung, einer ehemaligen, zum Kaiserpalast umfunktionierten Pförtnerloge, spaziert Ida gerne würdevoll umher, eine Hand ruht elegant auf der Taille, die andere hält die diamantenbesetzte Krone. Eine winzige Kopfbewegung, und die Menschenmenge teilt sich, ein kaum sichtbares Augenzwinkern, und der Tisch ist gedeckt und die ausgefallensten Speisen werden aufgetragen, bis der Morgen graut.

In Geschäften steht Ida bescheiden Schlange wie Sie und ich. Sie hat ihre Untertanen im Auge und ruft sie zur Ordnung, ohne je laut werden zu müssen.

Idas große Stärke ist, dass die anderen nicht wissen, mit wem sie es zu tun haben.

PETER BICHSEL

Tragen

Ihres Charmes bewusst, bewegte sie sich den ganzen Tag in ihrer Lieblingsbluse, der bläulichen mit dem Rundkragen, schlug ein Bein übers andere, den Notizblock auf dem Knie, und stellte sich vor, wie der Rundkragen über das Deux Piece in Anthrazit fällt.

Abends erschrak sie vor dem Spiegel, als sie sah, dass sie den ganzen Tag die weiße getragen hatte mit den Spitzen und dem großen Auslegekragen.

Da lachte sie.

Auch wenn es ihr kein Trost war, dass sicher niemand bemerkt hatte, dass sie sich einen ganzen Tag falsch bewegte.

MICHAEL AUGUSTIN

Ein Irrtum

Um kurz nach sieben in der Frühe wird der gesamte Berufs-
verkehr zurückgepfiffen. Auf dem Weg zur Arbeit höre ich es,
im Autoradio. »Ein Irrtum ist unterlaufen!«, sagt der Modera-
tor, »bitte begeben Sie sich auf der Stelle zurück nach Hause und
beginnen Sie noch einmal von vorn.«

HEIMITO VON DODERER

Das Frühstück

Heute Morgen frühstückte ich im Bade, etwas zerstreut. Ich goss den Tee in das zum Zähneputzen bestimmte Gefäß und warf zwei Stücke Zucker in die Badewanne, welche aber nicht genügten ein so großes Quantum Wassers merklich zu versüßen.

ROBERT WALSER

Morgen und Abend

Wie warst du frühmorgens voll blitzend heller, guter Laune, blicktest ins Leben wie ein Kind und hattest dich da sicher oft recht keck und unkorrekt benommen. Entzückend schöner Morgen mit gold'nem Licht und duft'gen Farben!

Wie anders aber war es abends, da kamen dir die müdenden Gedanken, und ein Ernstes schaute dich an, wie du's nie dachtest, und unter dunklen Ästen gingen Menschen, und hinter Wolken bewegte sich der Mond, und alles sah aus wie Prüfung, ob du auch willensfest und stark seiest.

So wechselten beständig Frohheit mit Schwierigkeit und Sorgen. Morgen und Abend waren wie Wollen und Müssen. Eins trieb dich ins Weite, das andere zog dich wieder in die Bescheidenheit zurück.

WILHELM GENAZINO

Zwischen fünf und sechs

Jetzt, zwischen fünf und sechs Uhr, beginnt wieder diese merkwürdige Frühabendstunde. Ich sehe die Alkoholiker, die Arbeitslosen, die Durchgedrehten, die Obdachlosen und die Flüchtlinge; zwischen fünf und sechs Uhr fallen sie besonders auf, weil die anderen gerade fehlen, die Versorgten und die Normalen, die jetzt Feierabend haben und in ihren Autos sitzen und nach Hause fahren oder zum Arzt gehen. Deswegen sieht man die Untergegangenen so überdeutlich an den Ecken herumhängen und herumliegen mit ihren Hunden und Flaschen und Ampullen und Wolldecken. Dann empfinde ich, was ich nicht beweisen kann: Wir tun nur noch so, als wehrten wir uns, in Wahrheit haben wir hingenommen, dass sie und wir am Ende sind. Es dauert nicht lange! Höchstens eine Stunde, dann wechselt das Bild. Dann sind die anderen wieder da, die Gesitteten und die Ordentlichen, auf dem Weg in die Kinos und in die Lokale. Aber dazwischen, die leere und schmutzige Stunde dazwischen, die eben beginnt! Es ist, als hätte sich die Stadt längst in ein Meer verwandelt. Überall diese schon halb verschwundenen Gestalten! An den Riffen der Fußgängerunterführungen liegen die ersten, die es heute erwischt hat, sie grölen herum, wie es Ertrinkende tun. Ruhig trägt mich mein kleines Boot vorüber.

BRÜDER GRIMM

Die alte Bettelfrau

Es war einmal eine alte Frau, du hast wohl ehe eine alte Frau seh'n betteln geh'n? Diese Frau bettelte auch, und wenn sie etwas bekam, dann sagte sie: »Gott lohn' euch!« Die Bettelfrau kam an die Tür, da stand ein freundlicher Schelm von Jungen am Feuer und wärmte sich. Der Junge sagte freundlich zu der armen, alten Frau, wie sie so an der Tür stand und zitterte: »Kommt Altmutter und erwärmt euch.« Sie kam herzu, sie ging aber zu nahe ans Feuer steh'n, ihre alten Lumpen fingen an zu brennen und sie ward's nicht gewahr. Der Junge stand und sah' das, er hätt's doch löschen sollen? Nicht wahr, er hätte löschen sollen? Und wenn er kein Wasser gehabt hätte, dann hätte er alles Wasser in seinem Leibe zu den Augen herausweinen sollen, das hätte so zwei hübsche Bächlein gegeben, zu löschen.

JOHANN PETER HEBEL

Brennende Menschen

Zwar von feurigen Mannen hat man schon oft gehört, aber seltener von brennenden Frauen. Eine Apothekersfrau geht nachts mit der Magd in den Keller und will etwas holen. Die Magd steigt mit dem Licht auf eine Stellasche, greift auf den Schaft, wirft eine große Flasche voll Branntwein um, worin ungefähr 6–8 Maß waren, und zerbricht sie, der Branntwein strömt plötzlich herab, so über die Magd, so über die Frau. Das Licht kommt der Magd an den Ärmel. Die Magd fangt an lichterloh zu brennen, rot mit gelbem Schein. Die Frau will ihr zu Hilfe eilen. Die Frau brennt auch an. Beide rennen brennend die Treppe hinauf in den Hof. Der Apothekerjung sieht's und springt davon, meint, es woll' ihn einer holen, mit dem man nicht gern geht, den der Hausfreund nicht nennen darf. Im Hof am Brunnen begießen sie sich mit Wasser. Das Wasser wird nicht Meister über den Branntwein. Endlich wirft sich die Magd auf den Dunghaufen im Hof und wälzt sich darauf. Die Frau wirft sich ebenfalls auf den Dunghaufen und wälzt sich auch. Beide löschten aus; die Magd wurde noch geheilt, aber die Frau musste sterben.

Merke: Wenn man brennt, muss man sich auf einem Misthaufen wälzen. Solches ist auch gut für die, welche den Branntwein inwendig im Leib haben.

ALEXANDER KLUGE

Kooperatives Verhalten

In einem Haus in Blaubach wurden nach dem Fliegerangriff vom 11. Februar 1943 die verkohlten Reste eines Menschen gefunden. Eine Hausbewohnerin behauptete, es handele sich um die Überreste ihres Mannes. Eine zweite Frau aus demselben Haus meldete sich und erklärte, ihr Mann habe ebenfalls in diesem zerstörten Keller gesessen, wahrscheinlich saß da einer neben dem anderen. Es seien Leichenreste ihres Mannes dabei. Auch sie möchte gerne eine Grabstätte besuchen können. Daraufhin machte die Hausbewohnerin, die zuerst zum Trümmerstück zurückgekommen war, den Vorschlag, die Reste des verkohlten Menschen zu teilen.

MARIE LUISE KASCHNITZ

Schrott und Schrott

Im großen Saal des Volksbildungsheims wird eine Ausstellung der heute bevorzugten Malgegenstände gezeigt. Es sind dort also keine Bilder zu sehen, sondern die dargestellten Objekte selbst. Eingedellte Verkehrsschilder, löchrige Säcke, schrottreifes Autozubehör, verrostete Kanister, verbogene Heizungsröhren, geplatzter Asphalt. Ich wundere mich nicht, dass in dieser sauberen wohlaufgebauten Stadt gerade solche Dinge den Malern in die Augen fallen. Es kommt mir aber darüber etwas in den Sinn. Ich erinnere mich an die Zeichnungen einer Schulklasse aus dem Taunus, die man nach der Zerstörung der Stadt Frankfurt in das verwüstete Zentrum geführt und der man die Aufgabe gestellt hatte, ihre Eindrücke nach eigenem Ermessen wiederzugeben. Auf den Blättern dieser Kinder, die nichts als Schrott, Brandschutt und Ruinen gesehen hatten, standen alle Häuser aufrecht bis zum Gesims, schwangen die zerstörten Brücken sich unversehrt von Ufer zu Ufer, erhoben sich die zerfetzten Bäume makellos in vollem Laub.

ERICA PEDRETTI

Klinge, kleines Frühlingslied

Als Erica im mährischen Sternberg die Primarschule besuchte, wurde die Tschechoslowakei dem Deutschen Reich einverleibt, und eines Tages mussten die Kinder im Gesangbuch zwei Seiten zusammenkleben. Neugierig darauf, was wohl auf diesen Seiten stand, hielt Erica zu Hause das Buch über heißen Wasserdampf, und zum Vorschein kam das Lied »Gruß« (Leise zieht durch mein Gemüt/liebliches Geläute,/klinge, kleines Frühlingslied/kling hinaus ins Weite). Der Grund war: Autor und Komponist waren beide Juden, Heinrich Heine und Felix Mendelssohn, folglich hatten sie damals in einem deutschen Gesangbuch nichts zu suchen. Die kleine Erica, die schon Noten lesen konnte, war vom Lied bezaubert, lernte es auswendig und spielte es von da an immer wieder auf der Blockflöte, und so klang es hinaus ins Weite in einer Zeit, in der man nicht davor zurückschreckte, Schönheit zu verbieten.

Mündlich überliefert von Erica Pedretti, nacherzählt von Franz Hohler.

DAVID BERGER

Erinnerung

Wenn mir etwas zustößt, wünsche ich mir, dass sich noch jemand erinnert, dass einmal einer namens David Berger gelebt hat. Das wird die schwierigen Momente für mich leichter machen.

David Berger wurde 1941 mit 26 Jahren in Vilnius von den deutschen Besatzern erschossen.

EDUARDO GALEANO

Heiligabend

Fernando Silva ist der Leiter eines Kinderkrankenhauses in Managua.

Am Heiligen Abend war er noch bis spät an der Arbeit geblieben. Schon knallten die Raketen, und die Feuerwerkskörper beleuchteten den Himmel, als Fernando beschloss, nach Hause zu gehen. Dort erwarteten ihn seine Angehörigen zum Fest.

Er machte nochmals einen Rundgang durch alle Krankensäle, um zu sehen, ob alles in Ordnung sei, da spürte er auf einmal Schritte hinter sich, zarte Wattefüßchen, die ihm folgten. Er drehte sich um und sah, dass ein krankes Kind hinter ihm herging. Er erkannte es im Halbdunkel. Es hatte keine Angehörigen. Fernando schaute ihm ins Gesicht, das schon vom Tod gezeichnet war, und sah Augen, die um Entschuldigung baten, oder vielleicht nur um Erlaubnis.

Fernando ging zu ihm hin, und das Kind berührte ihn an der Hand:

»Sag dem...«, flüsterte es, »sag jemandem, dass ich hier bin.«

TANJA SAWITSCHEWA

Tagebuch

Schenja starb am 28. Dezember um 12.00 vormittags 1941.

Großmutter starb am 25. Januar, 3 Uhr nachmittags 1942.

Ljoka starb am 17. März um 5 Uhr vormittags 1942.

Onkel Wasja starb am 13. April um 2 Uhr nach Mitternacht. 1942.

Onkel Ljoscha am 10. Mai um 4 Uhr nachmittags 1942.

Mutter am 13. Mai um 7.30 vormittags 1942.

Die Sawitschews sind gestorben.

Alle sind gestorben.

Übrig bleibt nur Tanja.

Tanja Sawitschewa, *23.1.1930, schrieb dieses Tagebuch während der Belagerung von Leningrad in ein Adressbüchlein. Sie selbst starb am 1.7.1944 an den Folgen der Unterernährung.

GISELA WIDMER

Liebeserklärung

An der sonst nackten Ostfassade der Jesuitenkirche, auf etwa vier Meter Höhe unter dem ersten Bogenfenster, ist eine Nische, darin das Abbild eines Kinderköpfchens. Von Hand geformt.

Der Baumeister soll, als die Wand der Jesuitenkirche bis auf diese Höhe hochgezogen war, ein Kind verloren haben.

Und er trauerte, und ließ Raum für seine Trauer, und setzte das Köpfchen darein.

Was diese Geschichte mit meiner Liebe zu Luzern zu tun hat, weiß ich nicht genau.

Überhaupt ist es so, dass ich diese Liebe nicht wirklich erklären kann.

Aber das ist ja das Schöne an Liebe.

NATALJA KLJUTSCHARJOWA

Der Autobus

Ich wünschte mir, mit dir in einem klapprigen Dorfbus zu fahren. Er sollte sich zur Seite neigen, während er den Furchen und Schlaglöchern ausweicht, sodass unsere Knie aneinanderstoßen und wir lächeln.

Ich wünschte mir zu schweigen.

Dass Herbst wäre. Ein heller, windiger Tag, dessen Anblick schmerzt.

Ich wünschte mir, am Straßenrand stünden Kisten voller Zwiebelbunde, lila wie Trauben, orangefarbene Kürbispyramiden, ganze Körbe gelber Äpfel und ein buntes Feuerwerk aus Dahlien.

Und wir würden kein einziges Wort zueinander sagen.

Das scheint mir wichtig.

Dass in den Gemüsegärten Herbstabfall verbrannt würde, es nach Rauch röche, fast quälend nach Rauch. Dieser Geruch bewirkt etwas, das einen nur zum Weinen oder Schweigen bringen kann.

Ich würde gern dich ansehen. Und dich gelassen sehen und – wenn möglich – auch glücklich.

Ich wünschte mir, nirgendwo hinzumüssen, dass niemand uns erwartete, dass wir einfach in einem klapprigen Dorfbus fahren, ohne Last: ohne Taschen, ohne Ziele, ohne Erinnerungen und ohne Worte.

An einem hellen, windigen Tag, dessen Anblick schmerzt.

Der niemals kommen wird.

HANNA JOHANSEN

An einem Sonntag

An einem Sonntag traf ich den Mann, den ich nicht vergessen konnte. Wo bist du geblieben? sagte er. Der Vorwurf traf mich unvorbereitet, denn er war es gewesen, der aufgehört hatte, mich anzurufen. Er küsste mich wie früher. Dann sah er auf die Uhr und fluchte. Das Schicksal ist gegen mich, klagte er. Susanne wartet.

Susanne? Meine Vergesslichkeit überraschte ihn. Wir waren mit ihr in diesem koreanischen Restaurant.

Korea? Nein, Frankfurt. Das hast du vergessen? Ich musste eine Ausrede erfinden, um sie loszuwerden. Ich versuchte mich zu erinnern. Er erzählte, wie er vorausgegangen war, weil er die Nacht mit mir verbringen wollte.

Das hörte sich schön an. Er hat mich also doch geliebt. So etwas vergisst man einfach nicht, sagte er kopfschüttelnd. Zum Abschied fragte er: Weißt du wenigstens noch, dass wir in Frankfurt waren? Sein Gesicht leuchtete ängstlich.

Natürlich. Es war eine von meinen schönsten Erinnerungen. Wir sind durch den Regen gegangen und haben geredet. Aber in einem koreanischen Restaurant bin ich im Leben noch nicht gewesen. So etwas vergisst man nicht.

ADELHEID DUVANEL

Ich hasste ihn

Mein Nachbar Gerhard lag jeweils tagelang im Bett; er wollte mir weismachen, sein Rheuma hindere ihn am Aufstehen, aber ich ahnte, dass er es genoss, sich nicht zu bewegen. Er erstarrte zu einer Mumie. Seine Gedanken liefen langsam, und er hatte meist eine verstopfte Nase, schnappte plötzlich nach Luft. Er sagte einmal zu mir, er wohne nicht in der Sandwüste und nicht in der Schneewüste; seine Wüste sei leerer. Er hasste Veränderungen; jede Sekunde brachte Veränderungen des Lichts, der Bewegungen, der Gedanken, der Laute und der Gerüche. Aber um seinen Lebensunterhalt zu verdienen, musste er sich manchmal bewegen: Er spielte an Beerdigungen Geige in Abdankungskapellen. Er liebte den gespannten Zustand nicht, in den er versetzt wurde, wenn er »etwas erledigen« musste. Er fragte sich, ob eine Blume sich Mühe gab, zu blühen. Am meisten beneidete er Steine. Seine Frau hatte ihn verlassen; sie hatte sich in einen Mörder verliebt, der jauchzte, wenn er sie sah.

Mir fielen plötzlich Gerhards unanständig große Nasenlöcher auf, als er sich im Frauenspital auf der Geburtsabteilung über das Bettchen meines Neugeborenen beugte und behauptete, die kleinen Ohren wären noch nicht ganz ausgebildet. Ich hasste ihn.

HEINRICH VON KLEIST

Rätsel

Ein junger Doktor der Rechte und eine Stiftsdame, von denen
kein Mensch wusste, dass sie miteinander in Verhältnis standen,
befanden sich einst bei dem Kommandanten der Stadt in einer
zahlreichen und ansehnlichen Gesellschaft. Die Dame, jung
und schön, trug, wie es zu derselben Zeit Mode war, ein kleines
schwarzes Schönpflästerchen im Gesicht, und zwar dicht über
der Lippe, auf der rechten Seite des Mundes. Irgendein Zufall
veranlasste, dass die Gesellschaft sich auf einen Augenblick aus
dem Zimmer entfernte, dergestalt, dass nur der Doktor und die
besagte Dame darin zurückblieben. Als die Gesellschaft zurück-
kehrte, fand sich, zum allgemeinen Befremden derselben, dass
der Doktor das Schönpflästerchen im Gesichte trug; und zwar
gleichfalls über der Lippe, aber auf der linken Seite des Mundes.

S. CORINNA BILLE

Warten

Man hatte ihm gesagt, in der Nacht vor Allerheiligen erscheine jedes Jahr ein kleines Mädchen im Kleid seiner Erstkommunion hinter dem Ofen dieser baufälligen Hütte.

Er hat die ganze Nacht von Allerheiligen auf sie gewartet. Oh, wenn er sie sähe im Kleid der Achtjährigen, mit dem Schleier und dem weißen Kranz! Und ihre blassen Augen, und ihre weißen Hände, und die Kerze in ihren Händen. Vielleicht hätte sie ein Lächeln für ihn, vielleicht würde sie sprechen… Er hatte schon allerlei Gespenster gesehen. Schreckliche sogar. Und die reden.

Der junge Mann wartete die ganze Nacht auf die Erscheinung. »Sie ist nicht gekommen«, hat er mir erzählt, »aber am Morgen sah ich meine Katze auf der Abschrankung vor dem Haus stehen. Sie schaute mich lange an. Ich sagte mir: Wenn das kleine Mädchen einen Blick hat, so muss es der sein. Seit jenem Tag habe ich meine Katze nie wieder gesehen.«

SILJA WALTER

Das Schwert

Diesmal wollte ich nur ein wenig in die Dorfkirche von Hägendorf gehen, einfach so, ein wenig beten und die Heiligen anschauen an den Wänden über den drei Altären, Gervasius und Protasius auf der rechten, Elisabeth und Katharina auf der linken Seite, und die goldenen Blumen und Engel, nur ein wenig sitzen und sie ansehen und dann wieder nach Hause laufen. Ich war allein, eine Rose hatte ich diesmal nicht mitgebracht, ich konnte auch ohne Rose für Papa beten. Kein Mensch war da außer mir und kein Mensch glaubt es, wenn ich ihm sage, was plötzlich geschah: Auf einmal, es ging kein Wind, kein Lüftlein, keine Türe, kein Fenster, nichts regte sich rund um mich in der Stille, da sprang das silberne Holzschwert der heiligen Katharina aus der Hand, sprang herunter, und fiel vor mich hin auf den Boden –

Ich hatte Gott Rosen gebracht für Papa, aber er warf mir keine zu, aus dem Mantel der heiligen Landgräfin Elisabeth von Thüringen, dabei hatte sie eine ganze Menge in ihrem gerafften Mantelkleid. Keine Rose – das Schwert der Katharina von Alexandrien habe ich zugeworfen erhalten –

DAVID ALBAHARI

Die Wäscheklammer

Plötzlich bemerkt jemand auf dem Tisch eine Wäscheklammer. Alle schauen hin. Wir sitzen am Tisch, und niemand weiß, wie sie dahin gekommen ist. Vorhin, sagen wir, war sie nicht da. Wir betasten sie, drücken fest drauf, reichen sie weiter, von Hand zu Hand. Eine gewöhnliche Wäscheklammer aus Holz, ganz neu. Jovan setzt sie sich auf die Nase, und wir lachen alle laut. Das tut weh, sagt Jovan, und nimmt sie weg. Seine Nase ist rot, und wir lachen noch lauter. Dann bemerkt jemand noch eine Wäscheklammer, und alle verstummen.

ROOT LEEB

Die Erscheinung

Ein älterer, für seine scharfsinnigen Vorträge bekannter Professor der Philosophie hielt eines Tages in einem überfüllten Hörsaal eine Vorlesung über Realität und Wahrnehmung. Nachdem er eine Weile temperamentvoll gesprochen hatte, hielt er plötzlich inne und verharrte schweigend mit gesenktem Kopf.

Die Studenten begannen unruhig zu werden, sein Assistent erhob sich, um nach vorne zu gehen, da sah der Professor auf und gab mit belegter Stimme bekannt: »Meine geschätzten Hörerinnen und Hörer, ich hatte soeben eine Erscheinung.«

Er beendete die Vorlesung mit dem Hinweis auf das Thema der nächsten Veranstaltung und verließ den Hörsaal.

Später, in der Bibliothek, als der Assistent ihm einige Bücher mit den eingelegten Kopien überreichte, fragte er vorsichtig: »Aber Herr Professor, was war das denn für eine Erscheinung?«

Der Professor sah ihn für einen kurzen Moment an und antwortete trocken: »Eine Alterserscheinung.«

MARIO SCHNEIDER

Kleine Stadt – alte Menschen

Es ist doch seltsam in der kleinen Stadt. Man begegnet Leuten, die man von früher kennt, mit denen man gemeinsam studiert hat oder mit denen man befreundet war, und Frauen, mit denen man irgendwann einmal geschlafen hat. Und alle sind sie grau geworden, und ihre Gesichter sind eingefallen und wollen nach Hause gebracht werden, nur nach Hause, um dort abgelegt zu werden, gleich vorn an der Tür auf die kleinen Schränkchen. Dann gehen sie ohne Gesicht ins Wohnzimmer und begrüßen ihre Ehemänner und -frauen. Ganz unverstellt und müde sagen sie: »Ich habe einen Freund beim Bäcker gesehen, du kennst ihn auch, ihm scheint es gar nicht gut zu gehen, wir haben kurz gesprochen, und er hat erzählt, dass früher alles leichter war, und dann hat er bestellt, ein Brötchen und ein halbes Brot. Nur ein Brötchen und das halbe Brot, der arme Kerl.«

Und die Männer und Frauen sagen dann: »Ja, armer Kerl«, und damit meinen sie mich. Und dann fassen sie den anderen bei der Hand und sagen: »Komm, lass uns essen.«

KURT MARTI

Abendleben

Wer kein Heim mehr hat, geht in ein Heim. Was tut er dort?
  Wartet auf seinen Heimgang.

CHRISTOPH SCHWYZER

Frau Frank

Auch nach drei Monaten begreift Frau Frank nicht, warum ihr die Pflegerinnen eine Frage jeden Tag immer wieder aufs Neue stellen: Sagen Sie bitte, welches von den drei Menüs möchten Sie morgen Mittag gerne essen? Frau Frank antwortet, während sie sich an den langen, mit Töpfen überstellten Tisch erinnert, an dem ihre Eltern und ihre elf Geschwister sitzen: Sie sollten doch nun endlich wissen, dass ich das esse, was auf den Tisch kommt!

HANSJÖRG SCHNEIDER

Mein Vater

Mein Vater ist mit 85 Jahren rücklings die Treppe hinunterge-fallen und mit dem Kopf aufgeschlagen. Das war vor rund zehn Jahren. Im Spital wollte der Arzt wissen, ob er noch bei Verstand sei, und hat ihm Fragen gestellt. Wie er heiße, wann er geboren sei, wo er sich jetzt befinde. Vater hat alle Fragen genau beant-wortet. Nur auf die letzte Frage hat er gesagt: in der Hölle.

Einen Tag später habe ich ihn besucht. Er lag im Sterben, war nicht mehr bei Sinnen. Er sah klein aus, geschrumpft, wie ein Kind.

HEIMITO VON DODERER

Ehrfurcht vor dem Alter

Durch eine alte Dame mit kleinem Hund, welche infolge ihrer Umständlichkeit die Abfertigung am Postschalter verzögerte, zur äußersten Wut gebracht, schlug er – da ihm denn die Ehrfurcht vor dem Alter hier jede direkte Ausschreitung verwehrte – mit einer schweren, zum Teil eisenbeschlagenen Keule, welche der Angeklagte damals für solche Zwecke stets bei sich zu führen pflegte, die Front des gegenüberliegenden Hauses ein, wodurch drei Wohnungen beschädigt und sechs Personen zwar nicht erheblich, immerhin aber derart verletzt wurden, dass sie ärztliche Hilfe in Anspruch nehmen mussten.

ELIAS CANETTI

Rückwärts altern

Es wäre hübsch, von einem gewissen Alter ab, Jahr um Jahr wieder kleiner zu werden und dieselben Stufen, die man einst mit Stolz erklomm, rückwärts zu durchlaufen. Die Würden und Ehren des Alters müssten trotzdem dieselben bleiben, die sie heute sind; so dass ganz kleine Leute, sechs- oder achtjährigen Knaben gleich, als die weisesten und erfahrensten gelten würden. Die ältesten Könige wären die kleinsten; es gäbe überhaupt nur ganz kleine Päpste; die Bischöfe würden auf Kardinäle und die Kardinäle auf den Papst herabsehen. Kein Kind mehr könnte sich wünschen, etwas Großes zu werden. Die Geschichte würde an Bedeutung durch ihr Alter verlieren; man hätte das Gefühl, dass Ereignisse vor dreihundert Jahren sich unter insektenähnlichen Geschöpfen abgespielt hätten, und die Vergangenheit hätte das Glück, endlich übersehen zu werden.

ANNETTE PEHNT

Der kleine Herr Jakobi und das Münster

Der kleine Herr Jakobi trat vor das Münster, um es zu bewundern. Er legte den Kopf in den Nacken, aber die Sonne schien ihm in die Augen, und er musste den Blick senken. Auf mittlerer Höhe sah er einen steinernern Harfenspieler, der stumm und unbeirrbar in die Saiten griff. Herr Jakobi hörte ihm eine Weile zu. Dann bückte er sich und band seinen Schuh. Hätte jemand die Zeit beschleunigt, so wäre die Bewegung des kleinen Herrn Jakobi eine Verbeugung gewesen.

HEINZ JANISCH

Der schiefe Turm

Der schiefe Turm von Pisa ist gar nicht schief.

Er macht nur eine schöne Verbeugung vor den vielen Touristen, die aus Afrika und China, aus Amerika und Australien herbeigekommen sind, um ihn zu besuchen und sich vor ihm zu verbeugen.

Auch ich verbeuge mich bei meinem Besuch vor dem sich verbeugenden Turm.

LUIGI MALERBA

Sightseeing in Rom

Die Fremdenführerin erklärte den Schweizer Touristen, die nach Rom gekommen waren, um die Stadt zu besichtigen, dass das Straßennetz im antiken Rom etwa vier Meter tiefer gelegen hätte als dasjenige, auf dem die Menschen heute gehen und die Autos fahren. Die Schweizer Touristen wollten das nicht glauben und fragten, wieso der Boden, statt vom ständigen Draufherumlaufen abzunehmen, um vier Meter steigen konnte. Die Fremdenführerin erklärte ihnen, dass das Straßenniveau jetzt deshalb höher sei, weil im Laufe der Jahrhunderte Mauerreste, Menschenspucke, Zigarettenkippen, Altpapier, Flaschenscherben, Orangenschalen, Kirschkerne, Trambahnscheine, Streichholzschachteln, Hundekot und Katzenscheiße auf den Boden gefallen wären.

Die Schweizer Touristen wollten das nicht glauben. Sie waren entsetzt und sagten alle zusammen, dass so etwas in der Schweiz nie vorkommen könnte, weil bei ihnen nie jemand etwas auf den Boden würfe, und weil sie einfach wüssten, wie man eine Stadt sauber hält.

»Wir Römer sind vielleicht große Schweine«, sagte die Fremdenführerin, die eine Römerin war und sich gekränkt fühlte, »aber wir haben Rom gebaut – und ihr?«

ARNO CAMENISCH

Sez Ner

Die Ausflügler stehen mit Prospekten in Hochglanzpapier um den Käsekessel neben dem Touristenführer vom Verkehrsverein, der eine rote Fahne mit weißem Kreuz in der Hand hält. Der Senn mit der tropfenden Rahmkelle in der Rechten begrüßt und kommentiert. Die Kameras blitzen auf und der Touristenführer nickt, als wisse er das alles schon und noch vieles mehr. Die dicht gedrängte Gästeschar staunt über die Demonstration, als wüsste sie nicht, dass draußen unter den dampfbeschlagenen Fensterscheiben ihre Rucksäcke von den Hirten geplündert werden.

AUGUSTO MONTERROSO

Kuh

Als ich kürzlich im Zug unterwegs war, stand ich auf einmal auf, fuchtelte vor Freude mit den Händen und forderte alle dazu auf, sich doch die Landschaft anzusehen mit einer Abenddämmerung, die zum Feinsten gehörte. Die Frauen und die Kinder und einige Herren, die ihr Gespräch unterbrachen, schauten mich überrascht an und machten sich lustig über mich, doch als ich mich schweigend wieder setzte, konnten sie sich nicht vorstellen, dass ich gerade gesehen hatte, wie eine Kuh am Rand eines Weges langsam verschwand, und zwar eine Kuh, die tot war, ohne dass jemand sie beerdigte, ohne dass jemand ihre gesammelten Werke herausgeben würde noch jemand eine tiefempfundene und weinerliche Rede auf sie halten würde, wie gut sie doch gewesen sei und mit wie manchem Strahl schäumender Milch sie dazu beigetragen habe, dass das Leben im Allgemeinen und der Zug im Besonderen ihren Lauf fortsetzen konnten.

ANGELIKA OVERATH

Kühe

Kühe im Schnee. Sie stehen. Sie sind nicht in Bewegung wie Kühe auf der Wiese. Es gibt nichts zu malmen. Also stehen sie. Im Schnee. Weil sie Biokühe sind. Sie müssen eine bestimmte Stundenzahl im Freien verbringen. Sie haben nichts zu tun. Morgens werfen sie einen Schatten wie Kühe. Abends werfen sie Schatten wie Zelte. Schwarze Zelte im Schnee. Eine Nomadensiedlung korrekter Kühe.

MANI MATTER

Chanson

Chanson: Ein Stadtkind, das eben erfahren hat, dass die Geschichten vom Storch und vom Osterhasen nicht wahr seien, kommt zu seinem Onkel aufs Land.

Abends sagt sein Vetter zu ihm: Komm wir wollen schauen gehen, ob die Hühner Eier gelegt haben. Das Stadtkind wendet sich zu dem ersten und lacht überlegen: »Der glaubt noch an die Hühner!«

Ich habe immer gefunden: es ist nicht weniger erstaunlich, dass die Hühner Eier legen, die Kühe Milch geben, als dass der Osterhase Eier und der Storch Kinder bringt.

LUIGI MALERBA

Ein nachdenkliches Huhn

Ein nachdenkliches Huhn setzte sich in einen Winkel des Hüh-
nerstalls und kratzte sich am Kopf. Durch das viele Kratzen
wurde es schließlich kahl. Da kam eines Tages ein anderes Huhn
und fragte es, was ihm solche Sorgen bereite. »Meine Kahlheit«,
antwortete das nachdenkliche Huhn.

THOMAS BERNHARD

Scharfsinnig und schwachsinnig

Der weltberühmte französische Philosoph, welcher jahrzehnte-
lang als der erste seiner Zeit bezeichnet worden ist, war auf der
Rückreise aus Moskau, wohin ihn die Akademie der Wissenschaften eingeladen gehabt hatte, nach Wien gekommen, um an
der Akademie der Wissenschaften in Wien denselben Vortrag
zu halten, den er schon in Moskau gehalten hatte. Nach seinem
Vortrag war ich bei zwei Professoren und Mitgliedern der Wie-
ner Akademie der Wissenschaften zu Gast gewesen, die wie ich
den Vortrag des französischen Philosophen gehört hatten. Der
eine hatte den Vortrag und also auch den französischen Philosophen als scharfsinnig, der andere als schwachsinnig bezeichnet und beide hatten ihre Behauptung tatsächlich und stichhal-
tig begründen können.

ROBERT GERNHARDT

Aus dem Buch der Wandlungen

»Seht diesen Baum«, sagte Lao-tschi einst seinen Schülern unter einer Yunga-Eiche, in deren Schatten sie nach anstrengender Wanderung um die Mittagszeit ausruhten. »Mannsdick der Stamm, sieben Kulis könnten ihn nicht umfassen, stark wie die Arme der Arbeiter von Sezuan die Äste, nicht zu zählen das Blattwerk. Und doch war er einst eine winzige Eichel, ein unscheinbarer Keim.

Was lernen wir daraus?«

Die Jünger, die bereits die Augen geschlossen hatten, öffneten sie wieder für einen Moment.

»Geschenkt, Meister, geschenkt!« riefen sie und »Schon gut«.

Seufzend blickte der Lehrer um sich, und als er alle schlafen sah, folgte er missmutig ihrem Beispiel.

DANIIL CHARMS

Das himmelblaue Heft, Nr. 10

Da war ein rothaariger Mann, der keine Augen und Ohren hatte. Er hatte auch keine Haare, so dass er nur unter Vorbehalt rothaarig genannt werden konnte.

Sprechen konnte er nicht, denn er hatte keinen Mund. Eine Nase hatte er auch nicht.

Er hatte nicht mal Arme und Beine. Und er hatte keinen Rücken und kein Rückgrat und keinerlei Eingeweide. Überhaupt nichts hatte er!

So dass man nicht weiß, um wen es sich handelt.

Am besten also, wir sprechen nicht weiter über ihn.

KURT SCHWITTERS

Das ganz einfache Leben

Sie werden lachen, wenn ich Ihnen jetzt offen gestehe, dass ich Ihnen eigentlich gar nicht viel zu erzählen habe. Aber hören Sie einmal die Marktfrauen auf den Gassen, sie haben auch nicht viel zu erzählen und erzählen doch. Und trotzdem haben sie viel zu erzählen, denn sie erzählen von dem einen Großen, um das es sich überhaupt lohnt zu leben, sie erzählen *vom einfachen Leben.*

Und mehr können auch die nicht erzählen, die 3 oder 5 Sprachen vollkommen beherrschen. Sie können zwar von einer Sprache in die andere verdolmetschen, aber vielleicht können sie weniger erzählen, weil sie weniger erleben als die Marktfrauen, die mitten im Leben stehen, auch wenn sie sitzen, und nun die Herren Philosophen. Sie ordnen den Extrakt aus den Erzählungen der Marktfrauen nach einem Schema, daher falsch. Lassen Sie sich daher nie etwas von einem Philosophen erzählen. Wie der Arzt Diagnosen stellt, so irrt der Philosoph in seiner Logik, denn irren ist philosophisch. Und so können sich alle Philosophen trösten, denn es irren alle Menschen aller Stände, aller Berufe.

Und nun werden Sie vielleicht lachen, wenn ich Ihnen sage, dass auch ich Ihnen nichts zu erzählen habe. Ich erzähle aber doch in der Hoffnung, dass Sie es verstehen werden, zwischen meinen Zeilen zu lesen.

PETER BICHSEL

Nichts Besonderes

Eines Tages ist eine Frau vom Himmel gefallen, sie mag auf dem Ast eines Baumes gesessen haben, und sie fiel in die Arme von Franz Grütter, und er stand da mit einer Frau in den Armen.

Das ist aber nichts Besonderes, sagten alle.

Auch nichts Erfreuliches, sagte ich.

Und Franz Grütter stand da mit einer Frau in den Armen – mit so Haaren, mit so einem Gesicht und so. Und ich frage uns, wie wir diese Geschichte beenden wollen. Aber inzwischen ist sie schon zu Ende, und Franz Grütter steht da und hat eine Frau in den Armen.

JÜRG SCHUBIGER

Ausnahmsweise

Das Gras ist heute ausnahmsweise grün. Ausnahmsweise bewegt ein Wind die strohigen vorjährigen Blüten der Hortensien. Der Amselgesang weckt ausnahmsweise Erinnerungen. Fallschirmjäger stürzen wie immer schräg in den Garten.

HELGA M. NOVAK

Das Licht

Es macht Gegenstände sichtbar.

Es kommt in einem Draht ins Haus. Es fällt aus einer glä-
sernen Kugel, weiß und weich wie Milch. Es fließt. Ich kann es
nicht anfassen.

Bei Sturm verlischt es.

Der Draht ist mit Salz umwickelt. Salz haftet an der Leitung
und überzieht sie mit einer harten Schale. Es schluckt die flies-
senden Teile des Lichtes, aus denen das Licht besteht. Der Draht
ist steif und funkelt. Er durchschneidet die Luft.

Bevor das Licht ausgeht, zucken Blitze aus den Porzellan-
köpfen, die den Draht an Pfählen festhalten.

Bei Sturm ist es dunkel im Haus.

INGEBORG BACHMANN

Blitze

Ins Gewitter gekommen ist der See. Zweihundert gezählte Blitze sind in ihn gefahren. Ins Gewitter ist die weitere Umgebung gekommen, die weißen Vögel sind darum fortgeflogen. Aber am See entsteht eine Musik, rasch hingeworfen, rasch dem gewellten Wasser anvertraut, das bald friert, auftaut, verschlammt, wieder friert. Die Angeln, steif, sind eingemauert im Eis, mit den Tönen an den Haken, auch die Musik ist erfroren, während über die *Avus* das Autorennen geht, der donnernde Lärm von Berlin die ängstliche Stille Berlins ins Gebet nimmt. An Schlaf ist nicht zu denken. Die rote Grütze, die es abends gibt, wird von den Patienten zurückgeschickt, niemand bringt einen Löffel hinunter, niemand will mehr einen Blitz zählen und dazu einen Löffel schlucken. Die Schwestern tragen missbilligend alle Blumen aus den Zimmern und stellen die Vasen auf den Gang.

DAVID WAGNER

Der Patientenchor

Das Krankenhaus ist ein Geschichtenhaus, immer wieder neue Geschichten, jeder Patient bringt eine mit. Also höre ich zu, was bleibt mir auch anderes übrig, und lausche den mit der Zeit unaushaltbar werdenden Leidensgeschichten, was ich habe, wie ich leide, wo ich damit schon gewesen bin, was die Ärzte gemacht, was sie nicht gemacht und was sie falsch gemacht haben. Und wer dann doch geholfen hat. Ich höre den Patientenchor, den Chor der Transplantierten: Ich hatte schon zwei Bauchspeicheldrüsen – ich habe jetzt meine dritte Niere, meine erste Niere hielt zwei Jahre, die zweite einen Monat, jetzt die dritte, wenn es diesmal nicht klappt, mache ich Schluss, keine Dialyse mehr, nie mehr Dialyse, das habe ich mir geschworen – ich hatte eine Wanderniere, die war ein Klumpen unter meinem Nabel – ich bin zum neunten Mal hier und war schon zweimal tot, der Krebs hat sich durch die Bauchspeicheldrüse gefressen, und dann haben sie mir die halbe Leber weggeschnitten – mich haben sie schon viermal aufgemacht, die Wunde will nicht heilen – morgen komme ich raus – vielleicht komme ich übermorgen raus, übers Wochenende werden sie mich wohl nicht dabehalten – vielleicht darf ich nächste Woche nach Hause – eine Woche vielleicht noch – noch zwei oder drei Wochen – noch ein paar Tage. So höre ich sie singen und singe selbst, das bleibt nicht aus, längst mit. Ich kann bald alle Strophen.

PETER VON MATT

Der längste Moment meines Lebens

Wir fuhren auf der Autobahn Richtung Genf. Vor uns ein Lastwagen, beladen mit langen, meterdicken Papierrollen, quer zur Ladefläche gestapelt. Die Geschwindigkeit war hoch. Da stürzte eine Rolle vor uns auf die Straße. Wäre sie liegen geblieben, wären wir eine Sekunde später durch die Luft geflogen. Aber die Rolle hatte die Geschwindigkeit des Lastwagens, und als sie die Straße berührte, begann sie selbst in rasender Drehung voranzurollen. Gleichzeitig kam sie langsam auf uns zu. Weil sie leicht schräg auf die Straße gefallen war, näherte sie sich dabei der Straßenmitte und glitt schließlich haarscharf an unserem linken Vorderrad vorbei. Kurz darauf kam eine Ausfahrt. Ich konnte anhalten. Erst jetzt explodierte der Schrecken. Meine Beine wurden schwer, ich gab seltsame Töne von mir. Vorher war alles reine Gegenwart gewesen, kühles Registrieren. Jetzt gab es wieder Vergangenheit und Zukunft und damit auch Gefühle. Vielleicht leben die Tiere in jener Präsenz. Oder die Engel.

THEODOR W. ADORNO

Frankfurt, Januar 1934

Im Traum fuhr ich mit G. in einem großen, sehr komfortablen Autobus von Pontresina hinab ins Unterengadin. Der Autobus war gut besetzt, und es fehlte nicht an Bekannten: die weitgereiste Zeichnerin P. und ein alter industrieller Professor samt seiner Frau waren darunter. Die Fahrt aber verlief nicht auf der Engadiner Chaussee sondern nahe meiner Heimat: zwischen Königstein und Kronberg. Bei der großen Kehre geriet der Autobus zu weit auf die rechte Seite, und sein eines Vorderrad hing eine Zeit, die mir lang schien, frei überm Graben. »Das kenne ich schon«, sagte orientiert die weitgereiste Zeichnerin, »das geht jetzt noch ein Stück, dann wird der Autobus umfallen, und keiner wird mit dem Leben davonkommen.« Im gleichen Augenblick stürzte das Gefährt. Dann plötzlich fand ich mich wieder, auf den Füßen stehend, G. gegenüber, beide unversehrt. Ich fühlte mich weinen, indem ich sprach: ich hätte so gern noch mit Dir weitergelebt. Da erst erkannte ich, dass mein Leib völlig zerschmettert war. Mit dem Tode wachte ich auf.

RUTH LEWINSKY

An der Bar

Auf den Barhockern sitzen sie, vorwiegend Männer. Sieben, um genau zu sein.

Auf dem Tresen steht ein Angebot von Flaschen. Gläser, Spiegel und Licht vermitteln Kronlüsterreichtum.

Ein hoher Glaskelch, mit Trinkhalm, gehört zu einem Herrn im Frührentneralter. Er interessiert mich.

Er saugt am Trinkhalm. Ein Lächeln breitet sich aus. Das, was ein Gesicht von einem anderen unterscheidet, schmilzt unter meinem Blick weg.

Die Augenhöhlen werden auffallend groß, und die Augen verschwinden. Er grinst.

Zähne, ungeheuer große Zähne, werden sichtbar. Zähne, die den Trinkhalm umklammern.

Aus meinem Sinnieren herausschreckend, erkenne ich dieses Gesicht der Gesichter, diesen Kopf, der in jedem Kopf steckt, diesen Schädel.

Immer noch klemmt der Trinkhalm zwischen dem Biss, Verbindung mit dem Leben einsaugend.

Langsam gleitet er wieder zurück in den Anzug seiner persönlichen Züge seines Gesichtes. Er trinkt sein Glas leer. Bezahlt und verabschiedet sich lächelnd. Mit Würde steigt er vom Barhocker und verlässt das Lokal.

URS WIDMER

Das Speiselokal

Es kann schon sein, Fledermaus, dass Dichter Dichter fressen. Warum nicht, gute Idee. Herr Ober, die Karte. Ah, ah, der könnte mir schmecken, dieser weltberühmte Romancier da. Ist allerdings teuer. – Doch vielleicht diese Lyrikerin hier. Was für einen Wein trinkt man zu so einer? – Ah. So. Ja. Natürlich, natürlich. Das, worauf ich da bin, ist gar nicht das Speiselokal. Ich verstehe. Das ist ein Teller. *Ich* bin das Essen, ja. – Aber Sie dürfen mir nicht sagen, wer mich bestellt hat. Wer mich jetzt mustert. Wer an mir riecht. Wer mich jetzt verschlingt. Aha.

IMRE KERTÉSZ

Nach Hause

Eine ganze Weile schon kann ich meinem Leben nicht mehr folgen, das sich mit kometenhafter Geschwindigkeit von mir entfernt, während ich verwundert hinterher starre, wie es immer kleiner und kleiner wird; bald wird es kaum noch wahrnehmbar sein am Horizont, dann drehe ich mich auf dem Absatz um und mache mich mit verzagten Schritten auf den Weg nach Hause.

JEAN COCTEAU

Der Tod des Dichters

Frankreich, ich sterbe! Tritt näher, dass ich zu dir sprechen
kann, komm noch ein Stück heran. Ich sterbe an dir. Du hast
mich beleidigt, lächerlich gemacht, betrogen, zugrunde gerichtet. All das ist mir gleich. Ich muss dich umarmen, Frankreich,
muss dich ein letztes Mal auf deine obszöne Seine küssen, auf
deine so argen Weinberge, auf deine gemeinen Feldraine, auf
deine leichtsinnigen Inseln, auf dein modersüß Paris, auf deine
Statuenhorden, die morden.

Komm näher, noch näher, dass ich dich sehen kann. Ah! Jetzt
hab ich dich. Nutzlos, zu betteln und zu schreien. Nichts öffnet
die Finger des Todes. Mit Genuss erwürge ich dich. Ich werde
nicht allein sterben.

GERHARD MEISTER

protestantisch

Liebi Truurgmeind, mir näme hüt Abschied vo dere Gummisandale. Abschied näh tuet gäng weh. Aber bsungersch fassigslos
schteit me am Ereignis gägenüber, wes vor sire Zit het müesse
iträte. E Blick uf die dicki Sohle zeigt üs schmärzhaft dütlech, wie
viu Abrieb die Gummisandale no hätt vor sech gha, wie wit dass
se ihre Wäg no hätt chönne füehre. Üse beschränkt mönsch-
lech Verschtand cha nid verschtah, dass die Noppe no so solid
i dere dicke Sohle verankeret si. Unweigerlech schteut sech d
Frag nach em Warum. Was söue die Noppe de jetz no uf dere
Sohle, jetz, wo aues verbi isch. Liebi Truurgmeind, es bruucht
viu Chraft, für i dene siubergraue Noppe o ne positivi Botschaft
z gseh. Gott het üs die Chraft gschänkt. Amen.

BERTOLT BRECHT

Die Frage, ob es einen Gott gibt

Einer fragte Herrn K., ob es einen Gott gäbe. Herr K. sagte: »Ich rate dir, nachzudenken, ob dein Verhalten je nach der Antwort auf diese Frage sich ändern würde. Würde es sich nicht ändern, dann können wir die Frage fallen lassen. Würde es sich ändern, dann kann ich dir wenigstens noch so weit behiflich sein, dass ich dir sage, du hast dich schon entschieden: Du brauchst einen Gott.«

LOTHAR DEPLAZES

Neuschnee

Als das Reh aus dem Wald in den steilen Abhang geflüchtet war und immer langsamer vorankam und müde einsank, wartete der Fuchs und wedelte ruhig mit dem Schwanz über den frischen Schnee. Dann riss er die leichte Beute, stillte den Hunger, leckte sich die blutige Schnauze und lobte den klugen Schöpfer, der den Winter so zweckmäßig eingerichtet habe.

LYDIA DAVIS

Angst

Beinahe jeden Morgen läuft eine bestimmte Frau aus unserem
Ort aus ihrem Haus, mit weißem Gesicht und wild flatterndem
Mantel. Sie ruft: »Notfall! Notfall!« und einer von uns läuft hin
und hält sie fest, bis sich ihre Ängste gelegt haben. Wir wissen,
dass sie nur so tut und dass ihr in Wahrheit gar nichts passiert
ist. Aber wir verstehen, denn es gibt kaum einen unter uns, der
nicht auch einmal eben das tun wollte, was sie gerade getan hat,
und jedes Mal mussten wir unsere ganze Kraft aufbieten und
dazu noch die ganze Kraft unserer Freunde und Familien, um
uns wieder zu beruhigen.

ROR WOLF

Nächtliches Aufschreien

Ein Mann wurde in einen Wald gelockt und dort niedergeschlagen. Als er erwachte, lag er in einem Keller. Er wunderte sich, zumal ein Mann vor ihm stand, der im Begriff war, ihn niederzuschlagen. Als er erwachte, in einer leeren Fabrik, bemerkte er, wie ihm ein Mann eine Flüssigkeit in den Mund goss. Er schlief lange, und als er erwachte, befand er sich in einem schönen Hotel, erkannte auch einen Mann, der sich anschickte, ihn niederzuschlagen, so dass er wenig von seiner Umgebung empfand. Als er erwachte, lag er in einem Wald, er sah keinen Mann weit und breit, war zufrieden und schleppte sich zu einer Brücke. Auf diesem Weg kam ein Mann auf ihn zu, der ihn niederschlug. Danach fiel er in einen Fluss und ging unter. Die Geschichte wird auch ganz anders erzählt, das sollte uns aber nicht stören.

BRÜDER GRIMM

Das Unglück

Wen das Unglück aufsucht, der mag sich aus einer Ecke in die andere verkriechen oder ins weite Feld fliehen, es weiß ihn dennoch zu finden. Es war einmal ein Mann so arm geworden, dass er kein Scheit Holz mehr hatte, um das Feuer auf seinem Herde zu erhalten. Da ging er hinaus in den Wald und wollte einen Baum fällen, aber sie waren alle zu groß und stark; er ging immer tiefer hinein, bis er einen fand, den er zu bezwingen dachte. Als er eben die Axt aufgehoben hatte, sah er aus dem Dickicht eine Schar Wölfe hervorbrechen und mit Geheul auf ihn eindringen. Er warf die Axt hin, floh und erreichte eine Brücke. Das tiefe Wasser aber hatte die Brücke unterwühlt, und in dem Augenblick, wo er darauftreten wollte, krachte sie und fiel zusammen. Was sollte er tun? Blieb er stehen und erwartete die Wölfe, so zerrissen sie ihn. Er wagte in der Not einen Sprung in das Wasser, aber da er nicht schwimmen konnte, sank er hinab. Ein paar Fischer, die an dem jenseitigen Ufer saßen, sahen den Mann ins Wasser stürzen, schwammen herbei und brachten ihn ans Land. Sie lehnten ihn an eine alte Mauer, damit er sich in der Sonne erwärmen und wieder zu Kräften kommen sollte. Als er aber aus der Ohnmacht erwachte, den Fischern danken und ihnen sein Schicksal erzählen wollte, fiel das Gemäuer über ihm zusammen und erschlug ihn.

DAVID ALBAHARI

Unser Lehrer

Vor nicht allzu langer Zeit haben wir unseren Lehrer wieder getroffen. Er stand auf einer Brücke und schaute auf den Fluss. Er erkannte uns nicht. Wir fragten ihn, ob er sich daran erinnern könne, wie er uns einst auf den Kastanien knien ließ, die er in unseren Schultaschen gefunden hatte. Er erinnerte sich nicht. Und entsann er sich, wie er uns jeweils bestrafte, indem er das Licht ausmachte und vorgab, ein Krokodil zu sein, das uns auffressen wollte? Nein, sagte er, er habe niemals ein Krokodil sein wollen. Aber als wir zu einem Picknick fuhren und der kleine Emil in einen Brunnen fiel? Wie dieser zwei Stunden lang weinte, während wir ohne Erfolg ihn rauszuziehen versuchten, bis wir schließlich merkten, dass da nur noch Stille war? Nein, sagte unser Lehrer, ich kann mich an keinen Emil erinnern. Das ist unerhört, schrieen einige von uns und riefen: Werft ihn in den Fluss, lassen wir ihn spüren, was es heißt, im tiefen Wasser allein zu sein! Und genau das taten wir. Wir packten ihn an den Armen und Beinen und warfen ihn über das Geländer. Später, als er unserem Blick entschwunden war, sagte jemand: Und was machen wir, wenn es nicht unser Lehrer war? Und plötzlich wollten alle nur noch nach Hause gehen.

JÜRG ACKLIN

Das Überhandnehmen

Und weiter nahm in der Stadt das Überhandnehmen überhand. Die inzwischen viertausendeinhundertzwei Köpfe zählende Stadtmütter-, Stadtvätermannschaft hielt pausenlos Sitzungen ab im Sportstadion. Es sprach nicht nur einer, es sprachen alle gleichzeitig, übertönten sich alle gleichzeitig, die allgemeine Mikorophonfreiheit griff um sich.

Jeder kam mit einem eigenen Mikrophon, brüllte in ein eigenes Mikrophon. Jeder hatte Wesentliches zu sagen, einen Beitrag zu geben, jeder fühlte sich als Repräsentant einer Gruppe für sich selbst, sprach im Namen seiner Wurstmaschine, sprach im Namen seines Wurstumsatzes, schrie: schließlich lebt ihr auch alle von Würsten! sprach im Namen seiner Bassinfilteranlage, schrie: schließlich müsst ihr euch alle irgendwo erholen können! sprach im Namen seiner Fernsehantenne, schrie: schließlich seht ihr auch alle fern! sprach im Namen seines Mischwasserhahns, schrie: schließlich duscht ihr euch hoffentlich auch jeden Tag!

RUDOLF BUSSMANN

Meinungen

Man sieht, es geht auf eine Wahl oder eine Abstimmung zu. Überall werden Meinungen angeboten wie Gemüse auf dem Markt. Täglich bringe ich Meinung nach Hause, da eine Handvoll, dort eine Portion, eingeschlagen in eine Tüte Argumente. Die Wohnung ist voll davon. Man riecht es, wenn man eintritt. Man kann vor lauter Meinung kaum mehr atmen. Die Spitäler melden eine Zunahme von Meinungsvergiftungen.

FERDINAND PFISTER

Der Westen

Der Westen hat versagt.
Der Westen schließt die Augen.
Der Westen hat kein Rezept.
Der Westen wurstelt weiter.
Solche Schlagzeilen lesen wir nun schon seit Jahrzehnten.
Das muss ja ein ganz übler Bursche sein, dieser Westen.

DANIIL CHARMS

Die Mauer

Ein gewisser Ingenieur hat sich zum Ziel gesetzt, quer durch Petersburg eine riesige Ziegelmauer zu bauen. Er denkt darüber nach, wie er dies verwirklichen könne, liegt nächtelang schlaflos und grübelt. Nach und nach bildet sich ein Kreis von Denkern, ebenfalls Ingenieuren, und ein Plan zur Errichtung der Mauer wird erarbeitet. Danach soll der Bau der Mauer nachts erfolgen, und zwar so, dass alles innerhalb einer Nacht fertig wird, denn es soll eine Überraschung sein. Arbeiter werden zusammengerufen. Die Aufgaben werden verteilt. Die städtischen Behörden werden außen vor gelassen, und schließlich bricht die Nacht an, in der diese Mauer errichtet werden soll. Vom Bau der Mauer wissen nur vier Personen. Die Arbeiter und Ingenieure erhalten genaue Anweisung, wo wer zu stehen und was er zu tun hat. Dank der präzisen Berechnungen gelingt es, die Mauer in einer Nacht zu bauen. Am nächsten Tag gleicht Petersburg einem Tollhaus. Und der Erfinder der Mauer ist niedergeschlagen. Wofür diese Mauer gut sein sollte, weiß er selbst nicht.

ILMA RAKUSA

Die Treppe

Gerade als er am Fuß der Treppe war, um ins fünfte Stockwerk des Tamaro-Hauses hochzusteigen, überkam ihn eine große Müdigkeit. Er setzte sich auf die erste Stufe, den Rücken an die holzgetäfelte Wand gelehnt, und schloss die Augen. Sein Herz hämmerte, beruhigte sich aber nach und nach. Als auch seine Gedanken, die wie Hasen durch seinen Kopf schossen, zur Ruhe kamen, schlief er ein. Er träumte von einem Berg, den er auf Stufen und Leitersprossen erklomm. Keine helfende Hand war zugegen, kein Jakobsengel, kein Fuchsgott. Er schwitzte und fluchte, jammerte und schrie. Oben angekommen, verstummte er. Eine weite Ebene tat sich vor ihm auf, graubraun und licht-durchflutet. Während er sich die Augen rieb, blinzelte die Sonne, als begrüßte sie einen alten Kumpel. Dann sah er eine Kamel-karawane, die sich schwankend näherte. Armenier, ging ihm durch den Sinn. Nein, Aramäer. Nein, Araber. Der Mann, der auf dem ersten Kamel geritten kam, erhob die Hand, murmelte unverständliche Worte und entfernte sich. Die ganze Karawane zog vorüber, nur er stand da, verloren und durstig. So stand er, bis die Sonne schlagartig verschwand. Schwärze umgab ihn. Er rief nach dem Engel. Der solle ihn nicht hinauf, sondern hi-nunter retten. Auf einer Rutsche, im Flug, nur hinab.

Als er am Fuß der Treppe erwachte, fiel ihm ein Handlauf-Haiku ein:

Die Finger am Holz
folge ich dir hoch dahin
wohin ich nicht will.

Und er verließ das Haus.

MARIE LUISE KASCHNITZ

Im Bockshorn

Im Bockshorn sitzen, wohin einer gejagt wird, in dessen beiner-
nen Windungen er weiter und weiter kriecht, vom Hellen ins
Spiraligdunkle, so als gäbe es dort etwas zu ergründen, vielleicht
auch etwas zu hören, ähnlich dem Summen und Dröhnen einer
Muschel, nur eben kein Meeresgeräusch, sondern den Wind der
Ziegenweiden im Gebirg. Jedenfalls etwas, für das es lohnt sich
dünn zu machen, nadelspitzendünn und taub für die Welt, in
die wir doch wieder zurückkehren werden, nur nicht ehe wir
uns einmal soweit als möglich von ihr entfernt haben, nicht ehe
wir das Brausen gehört haben, nicht sofort.

GERHARD MEIER

Maschinen stottern

Später Mittag. Auf dem Grab des Sprachlehrers wiegt sich der Zitronenfalter auf einer Astilbe im Südwind. In Abständen spreizt er leicht seine Flügel, als hätte er Balanceschwierigkeiten, was aber nicht anzunehmen ist, denn dieses Spreizen der Flügel mag eher dem Zucken der Beine schlafender Hunde zu vergleichen, also eine Reflexerscheinung sein.

Zitronenfalter übrigens überwintern als Falter und können bei warmem Wetter schon im Februar wieder fliegen.

Nach den Jahren zu schließen, sind seine (des Sprachlehrers) Innereien zerfallen jetzt, während die zweihundertzwölf Knochen, schön geordnet, ihre Substanz zu wahren vermocht haben mögen, auch die Haare (wahrscheinlich mit künstlicher Farbe).

Im übrigen verwerten die entsprechenden Organe der Leute jetzt Koteletts, Kartoffeln, Erbsen, Rübli, Sahne und sonstige Sachen (was die vorausgegangene Tätigkeit der brunnerschen, lieberkühnschen und sonstigen Drüsen voraussetzt). Einige (Leute) werden fett dabei, andere halten das Gewicht, andere verlieren an Gewicht, während die Zeit die Jahre dazu gibt (die Jahre davon nimmt, wie man will). Über das Land hin singen, kreischen, stottern die Maschinen ...

JÖRG STEINER

Kranführer

Leider habe ich nie einen Kranführer kennengelernt, ohne Kran erkennt man sie nicht als Kranführer, das ist das Dumme. Ins Wirtshaus gehen sie wohl nur sehr selten: du siehst, Kranführer will ich mir nur in der Mehrzahl vorstellen als Kranführerschwarm, streitsüchtig und leicht zu versöhnen untereinander: doch wehe, sie begegnen einem Leuchtturmwärterschwarm! Sogleich geht es los mit der Angeberei über die Qualität der jeweiligen Einsamkeiten. Dann Tausch des Overalls. Versprechen, Postkarten zu senden. Verbrüderung. Du brauchst dich nicht zu fürchten auf deinem Balkon. Mit Leuten wie wir es sind, reden eigentlich nur noch Kranführer und Leuchtturmwärter gern; alle anderen meiden uns lieber, rufen nicht mehr an, schauen weg, haben zu tun: vernünftige Sachen, um nicht den Boden unter den Füßen zu verlieren; feste Körper, zuverlässige Schattenwürfe, ruhige Blicke, sichere Gesprächsfelder. Du kannst dich, wenn es dir notwendig erscheint, verstecken, einen Kranführer brauchst du dazu nicht – und den anderen, ich glaube, fällt es nicht einmal auf.

KLAUS MERZ

Das Werkzeug

Während der ersten dreißig Jahre meines Lebens trug ich oft einen Kieselstein im Hosensack mit. Als Spielgefährte, als Amulett, später als Erdgeschichte in handlicher Form. Im Lauf der Zeit ist der Stein zwar speckig, aber nie weniger geworden. Und wenn ich ihn verlor, wusste ich, dass er nicht verloren war, sondern weiterrollte durch die Zeit. Es wird ihn noch geben, wenn von uns und unseren Hosensäcken schon lange nichts mehr übrig ist.

Diese Einsicht verhalf mir in philosophischen Stunden zu einer gewissen Gelassenheit, an gewöhnlichen Tagen aber führte sie nur zu Bitterkeit über den eigenen schnellen Verschleiß. Eines Herbstes wechselte ich den Stein durch eine Rosskastanie aus, gegen allfälliges Rheuma. Und seit ein paar Jahren trage ich an ihrer Stelle einen klein gewordenen Radiergummi mit. Ein Werkzeug. Und als Erinnerung an mein Leben. Denn auch der Radiergummi wird, anders als der Kiesel, durch meine Irrtümer verbraucht.

GERHARD AMANSHAUSER

Zerbrechende Gegenstände

Je älter man wird, desto genauer bemerkt man den Lebenslauf der Wesen und Dinge. Wer an sich selbst die ersten Anzeichen des Endes wahrnimmt, der schaut, in einer Art Selbstmitleid, mit ganz anderen Augen sogar auf einen zerbrochenen Teller, der zwei Weltkriege überlebt hat und nun den Weg der städtischen Müllabfuhr geht. Das einst kaum Wahrgenommene schlägt plötzlich die Augen auf und erzählt nun, da es fast schon zu spät ist, überraschende Dinge. Dann erst stellt sich heraus, was der Anfang hergibt, und man beginnt sich Gedanken zu machen, ob das Ganze noch hält.

EPIKTET

Wenn der Steuermann ruft

Wenn das Schiff auf einer Seereise vor Anker geht und du aus-
steigst, um frisches Wasser zu holen, dann kannst du unterwegs eine Muschel oder einen kleinen Tintenfisch auflesen,
aber deine Aufmerksamkeit muss auf das Schiff gerichtet bleiben, und du musst es ständig im Auge behalten, der Steuermann
könnte ja rufen, und wenn er ruft, dann musst du alles liegenlas-
sen, damit du nicht gefesselt wie die Schafe auf das Schiff gewor-
fen wirst. So ist es auch im Leben: Wenn dir statt einer Muschel
oder eines Tintenfisches eine Frau und ein Kind gegeben sind,
so wird dies kein Hindernis sein. Der Steuermann ruft, lauf zum
Schiff, lass alles liegen und dreh dich nicht um. Wenn du aber alt
geworden bist, dann entferne dich nur nicht zu weit vom Schiff,
damit du nicht zurückbleibst, falls du gerufen wirst.

LUKAS BÄRFUSS

Flauberts Abreise nach dem Orient

Ein Schrei, so heißt es, sei durch das Haus gedrungen, als er hinter sich die Salontür schloss, an jenem Donnerstag vor hundert und mehr Jahren, gegen fünf Uhr abends, nachdem er und Mutter seit dem Morgen endlose Runden durch den Garten gedreht und die Dame von der Brief- und der Herr von der Pferdepost ihre Besuche gemacht und dabei nichts als Plattitüden von sich gegeben hatten, etwa den Hinweis, er werde einem großen Land, einer großen Religion und einem großen Volk begegnen, Phrasen, die ihm immer noch lieber waren als der Ratschlag jenes Verwandten, Schwiegersohn irgendeines Onkels, er solle ein Testament aufsetzen, da niemand wissen könne, ob ihr während seiner Abwesenheit etwas zustoßen würde, der Mutter, die im Salon mit dem Gesicht zum Kaminfeuer saß, an jenem trüben Oktobertag, dem fürchterlichsten, den er bis anhin erlebt hatte und in den Tagen darauf mit Rum, Fressgelagen und Huren so vergeblich zu vergessen suchen würde wie ihre kalte Stirn, die er jetzt, begleitet von Beschwörungen, küsst, bevor er nach seinem Hut greift, zur Salontür und in die Kutsche springt und alles hinter sich lässt, die Mutter, die Frau von der Brief- und den Mann von der Pferdepost, alles wird verschwinden wie der Schmerz und das Wissen, wie nahe ein Abschied dem Tod kommt, nichts überdauert die Zeit, weder das Haus noch der Garten oder die Huren, alles vergeht, nur der Schrei gellt ewig durch die Zeit und das Haus, an jenem trüben Oktobertag gegen fünf Uhr abends vor hundert und mehr Jahren, als er hinter sich die Salontür schließt.

HERBERT HECKMANN

Robinson

Ein Mann hatte große Lust auszuwandern. Er verkaufte alles, soweit die Wertlosigkeit der Gegenstände nicht seine Barmherzigkeit anstachelte, packte eine vollständige Robinson-Ausgabe in Ölpapier – wegen der Unbeständigkeit des Klimas –, besorgte sich ein Schiff, das zum Untergang neigte, und fuhr nach Süden.

Es traf alles ein. Ein Orkan erhob sich. Das Schiff scheiterte. Er klammerte sich an eine Planke, die gerade so groß war, dass er den Kopf nachdenklich über Wasser halten konnte. In der linken Hand führte er das Buch in Ölpapier wie eine Flosse.

Das Glück einer Insel jedoch blieb ihm versagt, so sehr er sich auch um eine vom Meer umfriedete Einsamkeit bemühte. Er trieb dahin, bis die Wellen ihn so abgespült hatten, dass er wie ein Kieselstein zu Grunde schaukelte: eine Insel hoffend.

WJATSCHESLAW KUPRIJANOW

Der Geiger im Meer

Ein Geiger schwimmt auf dem offenen Meer und spielt Geige. Das sind zwei fast nicht miteinander vereinbare Künste – gleichzeitig zu schwimmen und zu musizieren. Das gelingt nicht jedem. Ein guter Geiger spielt für die Vögel am Himmel, wenn er auftaucht, und für die Fische im Meer, wenn er untertaucht. Ein schlechter Geiger schüttelt beim Auftauchen das Wasser aus dem Geigenkorpus, statt für die Vögel am Himmel zu spielen, und wenn er unter eine Welle gerät, bedauert er, eine Geige und kein Cello, auf dem es sich leichter schwämme, in Händen zu halten, statt für die Fische im Meer zu spielen. Ergo ist ein schlechter Geiger obendrein ein schlechter Schwimmer.

Wenn man also auf dem Meer eine Geige hört, bedeutet das, daß es sich um einen sehr guten Schwimmer handeln muss.

MICHAEL AUGUSTIN

Der Chinese

Ein Chinese, der in dem kleinen Ort Stockelsdorf allen Ein-
wohnern als »Der Chinese« bekannt war, kehrte eines Tages aus
Heimweh zurück in sein Heimatland, wo er rasch im Schoße
seiner 1,3 Milliarden Landsleute verschwand und für immer
untertauchte. Nur in Stockelsdorf weiß bis auf den heutigen Tag
immer noch jeder, wer genau gemeint ist, wenn jemand sagt:
»Der Chinese«.

ALBERTO NESSI

Der Junge

Sie haben einen Jungen festgenommen. Er steht da an der Mauer, ich sehe ihn. Die Hände hinter dem Rücken, in Handschellen. Wie ein Mörder. Dabei ist er bloß von zu Hause weggelaufen. Ein junger Albaner, ein Rumäne, wer weiß. Er schaut auf den Boden. Hält die Augen gesenkt wie einer, der sich schuldig fühlt. Er ist stumm. Niemand spricht mit ihm. Wie lange steht er wohl schon dort vor Pias Haus? Seine gesamte Kindheit.

Die beiden Grenzwächter spazieren in ihrer funkelnagelneuen Uniform an ihm vorbei. Sie streifen ihn kaum mit dem Blick. Vor diesem schmächtigen Jungen wirken sie selbstsicher und wohlgenährt mit dem gutgeölten Magazin. Lässig. Sie haben ihre Pflicht getan. Sie lächeln. Gehen auf und ab und plaudern am Handy. In dem geparkten Auto daneben bellt ein Schäferhund.

Der erschrockene Junge hält den Kopf gesenkt, er denkt an sein Elend, an den Schleuser, der ihn im Wald ausgesetzt hat, an die Welt, die ihn in diesem Grau alleinlässt. Eine Frau lächelt den Wachen im Vorbeigehen zu, es ist, als trüge auch sie eine Uniform. Dann kommt der Kastenwagen. Einer steigt aus und sagt einen Satz im Dialekt. Der Junge hebt den Kopf und steigt ein, noch immer in Handschellen. Machtlos sehe ich am Fenster zu. Morgen werde ich ihn vergessen haben.

PEDRO LENZ

Die Tätowierung

Wir saßen uns in der Deutschen Bahn stundenlang gegenüber. Der Mann war ungefähr in meinem Alter. Er trug ein kurzärmliges Hemd. Auf seinem rechten Unterarm sah ich eine Tätowierung: ein Kreuz, ein Lorbeerkranz und dazwischen ein Schriftzug, der schwer zu lesen war. Hin und wieder schaute ich unauffällig auf diese Tätowierung. Lange versuchte ich vergeblich das Wort über dem Lorbeerkranz zu entziffern. Dann sah ich, dass es »Hamburg« hieß.

In Hamburg war ich auch schon. Ich nahm das Wort zum Anlass, mit dem Mann ins Gespräch zu kommen. Ob er aus Hamburg stamme, fragte ich ihn und fügte an, mir gefalle Hamburg gut.

»Hamburg? Ich war noch nie in Hamburg!«, sagte er in einem Tonfall, der mir klarmachte, dass er nicht daran interessiert war, mit mir Konversation zu machen.

»Ach so«, meinte ich fast schon entschuldigend, »ich dachte bloß, Sie seien vielleicht ein Hamburger, weil ja da auf ihrer Tätowierung Hamburg steht.«

Der Mann schien verärgert und sagte: »Homburg, Homburg im Saarland, nicht Hamburg, Homburg. Das ist kein »A«, das ist ein »O«!«

Dann schwiegen wir beide wieder. Die Bahnfahrt schien kein Ende nehmen zu wollen. Mehrmals sah ich unauffällig auf die Tätowierung des Mannes. Und ich hätte schwören können, dass es sich beim zweiten Buchstaben um ein »A« handelte. Aber ich sagte nichts, denn ich wollte den Mann nicht weiter verärgern.

Hamburg oder Homburg, das spielt ja letztlich überhaupt keine Rolle, dachte ich. Und manchmal ist Schweigen das A und O einer friedlichen Bahnfahrt.

JENS NIELSEN

Doku Soap

So sieht die Welt von Samuel Herrwegen aus. Er geht barfuß und in Anzug und Krawatte. Das Jagdgewehr hat er geschultert. Er jagt die Bären in der Stadt. Hat er jemals einen abgeschossen? Dafür gibt es keinen Hinweis. Er zeigt aber die angeblichen Einschusslöcher in den Hauswänden. Die stammen von den Kugeln seines Bärentöters, wie er sagt. Manchmal säumen Hundeleichen seinen Weg.

Weil er einen Anzug trägt, ist Samuel Herrwegen meistens höflich. Ja, er ist galant, zuvorkommend. Er gibt Touristen Auskunft. Hilft Behinderten über die Straße. Er bietet Stadtführungen an, die aber niemand mitmacht. Er sagt, er hat ein Netz von Spähern in der Stadt. Sie melden ihm, wenn irgendwo ein Bär auftaucht. Dann pirscht er durch den Stadtteil, wo die Meldung hergekommen sein soll. Weil er keine Schuhe trägt, kann er sich leise anschleichen. Doch wie gesagt, erlegte Bären konnte er bis jetzt nicht wirklich –

Manchmal rennt er brüllend durch die Straßen. Beherrscht euch, ihr, so schreit er dann in alle Richtungen, Tiere, Tiere! Oder er versteckt sich tagelang im Kirchturm. Man kann nicht sagen, dass er unbeliebt ist bei den Bürgern. Viele grüßen ihn. Und es kursieren allerlei Gerüchte. Einige nur wissen, dass er einmal Prokurist war.

GOTTFRIED AUGUST BÜRGER

Reiterkunststücke des Freiherrn von Münchhausen und erstaunenswürdige Geistesgegenwart

So leicht und fertig ich im Springen war, so war es auch mein Pferd. Weder Graben noch Zäune hielten mich jemals ab, überall den geradesten Weg zu reiten. Einst setzte ich darauf hinter einem Hasen her, der querfeldein über die Heerstraße lief. Eine Kutsche mit zwei schönen Damen fuhr diesen Weg gerade zwischen mir und dem Hasen vorbei. Mein Gaul setzte so schnell und ohne Anstoß mitten durch die Kutsche hindurch, wovon die Fenster aufgezogen waren, daß ich kaum Zeit hatte, meinen Hut abzuziehen und die Damen wegen dieser Freiheit unterthänigst um Verzeihung zu bitten.

Ein anderes Mal wollte ich über einen Morast setzen, der mir anfänglich nicht so breit vorkam, als ich ihn fand, da ich mitten im Sprunge war. Schwebend in der Luft wendete ich daher wieder um, wo ich hergekommen war, um einen größern Anlauf zu nehmen. Gleichwohl sprang ich auch zum zweiten Male noch zu kurz, und fiel nicht weit vom andern Ufer bis an den Hals in den Morast. Hier hätte ich unfehlbar umkommen müssen, wenn nicht die Stärke meines eignen Armes mich an meinem eignen Haarzopfe, sammt dem Pferde, welches ich fest zwischen meine Kniee schloß, wieder herausgezogen hätte.

CHRISTINE NÖSTLINGER

Schneewittchen – eine Richtigstellung

…und lebten glücklich und zufrieden bis an ihr Ende.
Hier lügt das Märchenbuch!

Für die, die sich an das Happy End des Märchens nicht mehr erinnern: Da stolpern die Zwerge mit dem Sarg, das giftige Apfelstück springt aus Schneewittchens Mund, Schneewittchen ist wieder lebendig, Hochzeit wird gehalten, und die böse Stiefmutter muss in rotglühenden Eisenpantoffeln so lange tanzen, bis sie tot umfällt …

Kann sich irgendeiner, außer einem chronischen Schwachkopf, vorstellen, dass ein Mensch von edlem Charakter, weichem Gemüt und guter Seele, bei dieser Art von Vollzug der Todesstrafe lachend zuschaut? Doch kaum! Dem Prinzen drehte es auch regelrecht den Magen um. In sein seidenes Schnupftuch musste er kotzen. Und was ihm am meisten Übelkeit verursachte, war der Umstand, dass Schneewittchen mit keiner Wimper zuckte, sondern vom Hochzeitskuchen naschte, während die Stiefmutter in ihrer Höllenpein brüllte, dass alle Schlosswände wackelten.

Herr im Himmel, was habe ich mir da für ein verrohtes Stück angeheiratet, dachte der Prinz voll Entsetzen. Und dieses Entsetzen wurde er nicht mehr los. Obwohl Schneewittchen zu ihm immer lieb und zärtlich und gut war. »Alles Verstellung«, sagte der Prinz, der dann schon König war, bei sich. »Ich habe ihr wahres Gesicht gesehen!« Er machte Schneewittchen auch keine Kinder, denn er wollte keine Nachkommen von so einer Frau.

So starb Schneewittchen kinderlos, und der Thron hatte keinen Erben, und der Prinz ließ die Republik ausrufen. Und erst die lebte dann zufrieden und glücklich bis an ihr Ende.

PETER ALTENBERG

Die Kindesseele

Sie war mit ihrer Vierjährigen, Süßen, Lieblichen bei «Schneewittchen» im Theater. Sie war sehr besorgt wegen seelischer Aufregungen des zarten Kindesorganismus. Als es hieß, Schneewittchen werde also nicht im Walde geschlachtet, sondern nur ein Reh an ihrer Stelle, war sie ganz entlastet. Da sagte die Vierjährige: «Nein, wenn ich schon nicht Schneewittchen abschlachten sehen soll, wird wenigstens das Reh *wirklich* vor uns geschlachtet?!» Und als die böse Stiefmutter in glühenden Pantoffeln tanzen sollte, sagte sie: «Das wird ja wieder *nur* bloß erzählt werden!»

FRANZ HOHLER

Ein Feuer im Garten

Im Halbkreis sitzen und liegen die Kinder auf Kissen um die Dichterin herum, und sie erzählt ihnen eine Geschichte, in der bald nach dem Anfang ein Kind nachts voller Angst ans Fenster rennt, weil es glaubt, es sei ein Feuer im Garten.

An dieser Stelle ruft ein Dreijähriger im Publikum laut: »Ein Feuer im Garten!«, steht begeistert auf und läuft weg, weg von der Erzählerin und den andern Kindern. Die Fortsetzung, welche erst die eigentliche Geschichte ist, die Fortsetzung braucht er nicht, denn man hat ihm soeben etwas Wichtiges mitgeteilt, etwas, das er sich vorstellen kann, etwas, das nun seinen ganzen Kopf und sein ganzes Herz, wahrscheinlich auch seine Beine und Arme ausfüllt, eine große, eine mächtige, eine wärmende Geschichte: ein Feuer im Garten.

VICTOR AUBURTIN

Die Inschriften

Als Dante vor der Hölle ankam, da waren seine Augen scharf und böse wie die des Sperbers und blickten in alle Ecken und Winkel. Und da sah er die Inschrift, die über dem Tore stand und die lautete: Lasciate ogni speranza voi ch' entrate.

Als Dante am Paradiese ankam, führte er Beatricen leise an der Hand. Da sah er nichts als das Licht ihrer Augen und das Schreiten ihrer florentinischen Füße über die Perlmuttergefilde der Seligkeit. Und deshalb bemerkte er es nicht, dass auch über der Paradiestür eine Inschrift stand; eine Inschrift, die da lautete: Lasciate ogni speranza voi ch' entrate.

AUGUSTO MONTERROSO

Die anderen sechs

Die Überlieferung berichtet, dass vor Jahren in einem fernen Land ein Uhu lebte, der es durch unermüdliches Studieren, Meditieren, Dozieren, Diskutieren, Redigieren, Kommentieren, Produzieren von Gedichten, Erzählungen, Biographien, Filmkritiken, Traktaten, Übersetzungen, Essays und vielen anderen Dingen so weit brachte, dass er sich praktisch in jedem Bereich des menschlichen Wesens auskannte und über alles zu äußern vermochte, und zwar in einem solch bemerkenswerten Maß, dass seine zeitgenössischen Bewunderer ihn bald zu einem der Sieben Weisen des Landes erklärten, ohne dass man bis heute herausfinden konnte, wer die anderen sechs waren.

FRANZ KAFKA

Die sieben Weltwunder

Die geschriebene und überlieferte Weltgeschichte versagt oft vollständig, das menschliche Ahnungsvermögen aber führt zwar oft irre, führt aber, verlässt einen nicht. So ist z. B. die Überlieferung von den sieben Weltwundern immer von dem Gerücht umgeben gewesen, dass noch ein achtes Weltwunder bestanden habe und es wurden auch über dieses achte Wunder verschiedene einander vielleicht widersprechende Mitteilungen gemacht, deren Unsicherheit man durch das Dunkel der alten Zeiten erklärte.

MARTIN WALSER

Bett beziehungsweise Mutter

Die Tradition ist das Bett, in dem man die ganze Nacht geschlafen hat, und am Morgen sollte man aufstehen und selber was tun. Die Tradition ist das Bett, in das man sich abends, mehr als müde, wieder legt, in der Hoffnung, dass man rasch einschlafen könne, weil man nicht mehr an das denken mag, was man den ganzen Tag getan hat.

Die Tradition ist etwas Herrliches und etwas Scheußliches, da bin ich ziemlich sicher.

Man kann ruhig sagen, die Tradition sei eine Mutter, die einem nicht wegstirbt, die dafür aber auch nie, nie, nie aufhört, einem Sitten einbleuen zu wollen. Und immer wieder einmal sagt sie einem ins Gesicht, dass man ja noch vor ihr sterbe. Das tut ihr nicht leid. Mir auch nicht.

GOTTHOLD EPHRAIM LESSING

Der hungrige Fuchs

»Ich bin zu einer unglücklichen Stunde geboren!«, so klagte ein junger Fuchs einem alten. »Fast keiner von meinen Anschlägen will mir gelingen.« – »Deine Anschläge«, sagte der ältere Fuchs, »werden ohne Zweifel danach sein. Lass doch hören; wann machst du deine Anschläge?« – »Wann ich sie mache? Wann anders, als wenn mich hungert.« – – »Wenn dich hungert?«, fuhr der alte Fuchs fort. »Ja, da haben wir es! Hunger und Überlegung sind nie beisammen. Mache sie künftig, wenn du satt bist, und sie werden besser ausfallen.«

ALFRED POLGAR

Soziale Unordnung

»Was wünschen Sie zum Abendbrot?« fragte der Gefängnisdirektor den armen Sünder, der morgen früh am Galgen sterben sollte, »Sie dürfen essen und trinken, was und wie viel Sie wollen.«

»Schade«, sagte der Delinquent, »schade!! Wenn Sie mich das drei Monate früher gefragt hätten, wär' der ganze Raubmord nicht passiert.«

HEINRICH VON KLEIST

Anekdote

Ein Kapuziner begleitete einen Schwaben bei sehr regenichtem
Wetter zum Galgen. Der Verurteilte klagte unterwegs mehrmal
zu Gott, daß er bei so schlechtem und unfreundlichem Wetter
einen so sauren Gang tun müsse. Der Kapuziner wollte ihn christ-
lich trösten und sagte: »Du Lump, was klagst du viel, du brauchst
doch bloß hinzugehen, ich aber muß, bei diesem Wetter, wieder zurück, denselben Weg.« – Wer es empfunden hat, wie öde
einem, auch selbst an einem schönen Tage, der Rückweg vom
Richtplatz wird, der wird den Ausspruch des Kapuziners nicht
so dumm finden.

GERHARD AMANSHAUSER

Ist hier jemand?

»Ist hier jemand?!«, ruft der heimkehrende Landesrat um zwei
Uhr früh in den dunklen Keller seiner Villa hinab. Vergeblich
dreht er am Lichtschalter. War etwa die Birne durchgebrannt?
Eben hatte er doch dort unten ein Geräusch gehört, eine Art
Flaschenklirren.

»Ist hier jemand?«

Welche Antwort erwartet der Landesrat? Erwartet er die Antwort »Nein!«? Sie wäre absurd. Erwartet er die Antwort »Ja!«?
Sie wäre wenig wahrscheinlich.

Wahrscheinlicher ist ein zweites, lauteres Klirren, eine Art
Resonanz, ausgelöst vom Zittern der Fragestimme.

BERTOLT BRECHT

Eine gute Antwort

Ein Prolet wurde vor Gericht gefragt, ob er die weltliche oder die kirchliche Form des Eides benutzen wolle. Er antwortete: »Ich bin arbeitslos.« »Dies war nicht nur Zerstreutheit«, sagte Herr K. »Durch diese Antwort gab er zu erkennen, dass er sich in einer Lage befand, wo solche Fragen, ja vielleicht das ganze Gerichtsverfahren als solches keinen Sinn mehr haben.«

JÜRGEN FUCHS

Der Friseur

IM LAUFSCHRITT ZUM FRISEUR, UND ZWAR SOFORT. Aber meine Haare sind doch kurz, ich war doch schon, genügt denn das nicht. WER ZUM FRISEUR MUSS, BESTIMME ICH UND SONST NIEMAND, DISKUTIEREN SIE NICHT, ZIEHEN SIE IHREN TRAININGSANZUG AN UND AB.

Er fragt nicht, wie du es haben willst, er weiß Bescheid, er lächelt dem Unteroffizier zu, der uns begleitet, er bindet das gelbe Cape um, gelb wie Erbrochenes, die anderen Kunden bekommen weiße Stoffumhänge, und schnippelt los, seine Haare sind grau und fettig und ziemlich lang, im Hemd trägt er ein Tuch, Siegelringe an den Fingern. Er richtet uns zu und kassiert eine Mark, wir können zusehen, wie unsere Köpfe kahl werden, wie unsere Ohren wachsen, die Spiegel sind groß genug. WENN DAS JEMAND SIEHT. Und einer sieht es und einer sitzt still und gerade, einer, der hier nicht zählt, der nur ein paar Körperhaare verliert, die zusammengefegt werden auf dem blankgebohnerten Fußboden dieses Salons. JETZT SEHT IHR WENIGSTENS WIE MENSCHEN AUS, sagt er, jetzt schlagen wir ihm die Fresse ein, denken wir und bezahlen aus unserer Tasche eine Mark für Fassonschnitt, dann im Laufschritt zurück, die Hauptstraße entlang, an den Schaufenstern vorbei und den Gesichtern der Leute. Und alle starren dich an, und keiner sieht dich, nur einer, und das bist du selbst.

BERND-LUTZ LANGE

Sichtveränderung

Als sich fünfzehn junge Menschen vor der Leipziger Nikolaikirche auf die Straße setzten, empörte sich der von den Organen informierte Funktionär, welcher Staat ließe sich denn das gefallen.

Als er 150.000 über den Ring der Messestadt ziehen sah, ahnte der hinter einem Busch verborgene Funktionär, dass sich die Menschen diesen Staat nicht mehr gefallen lassen.

Und er bedauerte, nicht zu ihnen zu gehören.

GERHARD MEIER

Der Präsident spricht

… derart, dass oft der Eindruck entstehe, man hätte es darauf
abgesehen, möglichst rasch das zu zerstören, was entscheidend
mitgeholfen habe, uns dahin zu bringen, wo wir heute stünden.
Es gelte, Brücken zu schlagen zu den abseitsstehenden Intellek-
tuellen. Das Bild des Unternehmers im Sinne des reinen Pro-
fitjägers, wie es so gerne gezeichnet werde, sei in der Schweiz
immer ein Zerrbild gewesen. Wir hätten es zum Glück nie zu
diesem falsch verstandenen Managertum in Reinkultur gebracht, wo nur die Ergebnisse zählten, wo Methoden, Mitmen-
schen und Umwelt keine Rolle spielten. In der weitaus überwie-
genden Mehrheit sei der Unternehmer in der Schweiz, trotz der
harten wirtschaftlichen Tatsachen, vor allem ein Mensch geblieben. In Zukunft würden die Aufgaben des Unternehmers
ohne Zweifel noch umfassender, werde seine Verantwortung
noch weitreichender werden. Er habe Umstände in seine Beur-
teilung einzubeziehen, die bis jetzt im Hintergrund gestanden
hätten …, soll der Präsident gesagt haben in einer Rede an die
Generalversammlung seines ruhmreichen Unternehmens. Er
habe sich später (unter leichten Verdauungsbeschwerden) die
Zähne geputzt, die Füße gewaschen – baden habe er nicht ge-
mocht. Dann sei es kühler geworden, soll Kaspar zu Katharina
gesagt haben. Im Hirschensaal, über der Metzgerei, singt der
gemischte Chor unter der Leitung von Lehrer Scherler aus Ver-
dis »Nabucco« den »Chor der Gefangenen«.

RUDOLF BUSSMANN

Aschwanden

Aschwanden hat A gesagt, Aschwanden muss B sagen, das meinen alle im Dorf, alle von Aschwandens Gegnern. Was Aschwanden vor den Wahlen versprach, blieb nach Aschwandens Amtsantritt aus Aschwandens Beschlüssen verschwunden. Aschwanden schwindelt, heißt es, Aschwanden ist ein Schwadroneur. Sagt Aschwanden, nachdem er A gesagt hat, nicht B, schwinden seine Chancen, sagen Aschwandens Gegner. Aschwanden sagt noch immer A. Ein Aschwanden, der B sagt, wäre nicht der Aschwanden, den wir gewählt haben.

ROBERT GERNHARDT

Sepp Maier

Vor einem Fußballländerspiel traf der Torhüter Maier zufällig mit Dr. Grzimek zusammen. »Eigentlich besteht zwischen uns nur ein kleiner Unterschied«, sagte dieser lächelnd. »Sie schützen das Tor, ich schütze das Tier.« »Lasst mich der Dritte im Bunde sein«, rief ein unscheinbarer Zuhörer, »ich bin Wächter beim Straßenbau und schütze den Teer.«

»Dann gehöre ich ebenfalls zu euch«, sagte ein Vierter, »ich komme auch vom Bau.«

Zu seiner Verwunderung machten seine Worte jedoch nicht den geringsten Eindruck auf die drei, und so blieb ihm nichts anderes übrig, als sich mit leisem Groll zu trollen.

WALLE SAYER

Ersatzspieler

Du sitzt auf der Ersatzbank. Die Nummer dreizehn. Hast deine Ärmel ein paarmal umgekrempelt, versinkst fast in deinem Trikot. Die Kickschuhe baumeln wie festgeschnürte Gewichte an deinen Füßen. Sie sind neu, adidas, zum Geburtstag geschenkt bekommen und glänzen noch vom Einfetten. Der Wind gleitet über deine Igelfrisur, über deine Stoppelhaare hinweg. Man sieht, dass du ein wenig frierst. Deine Blicke verfolgen den Ball. Erst einige Minuten vor Spielende wirst du für euren Linksaußen eingewechselt. Dein Gegenspieler ist zwei Köpfe größer. Einmal wirst du angespielt, legst den Ball links an ihm vorbei. Aber vor dem Flanken holt er dich scheinbar mühelos ein und grätscht den Ball ins Aus. Den Einwurf macht ein anderer aus deiner Mannschaft.

Nach dem Spiel kommst du als erster umgezogen aus der Kabine, weil du nicht zu duschen brauchtest. Deine umgehängte Sporttasche wirkt an dir wie ein Koffer. Dein Fahrrad schiebend läufst du mit gesenktem Kopf nach Hause.

BRUNO STEIGER

Letzter Gast

Eine halbe Stunde nach Mitternacht, er saß im Café beim Tramwendeplatz, malte zwei aufeinander weisende Pfeile unterschiedlicher Größe auf seinen Bierdeckel.

Er setzte die Maßstabsangabe darunter, 1:10, es könnte ein Sportresultat sein, dachte er, so sieht er also aus, der Auswärtssieg der Wirklichkeit.

Dann bezahlte er und ging.

SIMON (7 JAHRE)

Spielstand

Es steht 10 zu 1.
Für beide.

DIE QUELLEN

Jürg Acklin, »Das Überhandnehmen«, aus: »Das Überhandnehmen. Ein Text«, Verlag Flamberg, Zürich 1973, © beim Autor.

Theodor W. Adorno, »Frankfurt, Januar 1934«, aus: »Traumpro-
tokolle«, © Suhrkamp Verlag, Frankfurt am Main 2005.

David Albahari, »Die Wäscheklammer«, aus dem Serbischen
übersetzt von Mirjana und Klaus Wittmann, aus: Neue Zürcher Zeitung, Nr. 197, 26.8.2010, © beim Autor.

David Albahari, »Unser Lehrer«, aus dem Englischen übersetzt von Andreas Breitenstein, aus: Neue Zürcher Zeitung,
22./23.3.2008, © beim Autor.

Peter Altenberg, »Die Kindesseele«, aus: »Auswahl aus seinen
Büchern von Karl Kraus«, Atlantis Verlag, Zürich 1963.

Gerhard Amanshauser, »Zerbrechende Gegenstände«, aus: »Gren-
zen. Aufzeichnungen«, © Residenz Verlag, Salzburg–Wien
1977.

Gerhard Amanshauser, »Ist hier jemand?«, aus: »Entlarvung der
flüchtig skizzierten Herren«, © Residenz Verlag, Salzburg–
Wien 2003.

Victor Auburtin, »Die Inschriften« aus: »Die Onyxschale«, Verlag Albert Langen, München 1911.

Michael Augustin, »Ein Irrtum«, aus: »Klein-Klein. Kurzwaren«,
Edition Temmen, Bremen 1994.

Michael Augustin, »Der Chinese«, aus: »Nur die Urne schwimmt.
Das Beste & Neueste«, Edition Temmen, Bremen 2007.

Ingeborg Bachmann, »Blitze«, aus: »Ein Ort für Zufälle«, © Verlag Klaus Wagenbach, Berlin 1965.

Lukas Bärfuss, »Flauberts Abreise nach dem Orient«, Originalbeitrag, © beim Autor.

David Berger, »Erinnerung« (Titel und Übersetzung vom Herausgeber), aus: Walter Zwi Bacharach (Hg.), »Last Letters
from the Holocaust«, Yad Vashem and Devora Publishing
Company, Jerusalem 2004.

Thomas Bernhard, »Scharfsinnig und schwachsinnig«, aus: »Der
Stimmenimitator«, © Suhrkamp Verlag, Frankfurt am Main
1978.

Peter Bichsel, »Tragen«, aus: »Zur Stadt Paris. Geschichten«,
© Suhrkamp Verlag, Frankfurt am Main 1993.

Peter Bichsel, »Nichts Besonderes«, aus: »Zur Stadt Paris, Geschichten«, © Suhrkamp Verlag, Frankfurt am Main 1993.

S. Corinna Bille, »Warten«, aus: »Hundert kleine Liebesge-
schichten«, übersetzt von Elisabeth Dütsch, Waldgut Verlag,
Frauenfeld 1992.

Bertolt Brecht, »Die Frage, ob es einen Gott gibt«, aus: Werke.
Große kommentierte Berliner und Frankfurter Ausgabe,
Band 18: Prosa 3, © Bertolt-Brecht-Erben / Suhrkamp Ver-
lag 1995.

Bertolt Brecht, »Eine gute Antwort«, aus: Werke. Große kommentierte Berliner und Frankfurter Ausgabe, Band 18:
Prosa 3, © Bertolt-Brecht-Erben / Suhrkamp Verlag 1995.

Rudolf Bussmann, »Meinungen« (Titel vom Herausgeber), aus:
»Das 25-Stundenbuch. Aphorismen und Bagatellen«, Waldgut Verlag, Frauenfeld 2006.

Rudolf Bussmann, »Aschwanden«, aus: »Popcorn. Texte für den
kleinen Hunger«, Waldgut Verlag, Frauenfeld 2013.

Gottfried August Bürger, »Reiterkunststücke des Freiherrn von
Münchhausen und erstaunenswürdige Geistesgegenwart«,
aus: »Abenteuer des berühmten Freiherrn von Münchhausen«, Verlag Jent & Gassmann, Solothurn 1841.

Arno Camenisch, »Sez Ner« (Titel vom Herausgeber), aus: »Sez Ner«, Urs Engeler Editor, Basel/Weil am Rhein 2009.

Elias Canetti, »Rückwärts altern«, aus: »Aufzeichnungen 1942– 1948«, © Carl Hanser Verlag, München 1965.

Karel Čapek, »Der Ohrwurm«, aus: »Karel Čapek. Fabeln und Kleingeschichten«. In der Übersetzung von Eckhard Thiele. Aufbau-Verlag, Berlin und Weimar 1986. © Aufbau Verlag, Berlin 1986, 2008.

Daniil Charms, »Das himmelblaue Heft, Nr. 10«, aus: »Trinken Sie Essig, meine Herren! Daniil Charms. Prosa«, aus dem Russischen von Beate Rausch, hg. von Vladimir Glozer und Alexander Nitzberg, erschienen bei Galiani Berlin, © Verlag Kiepenheuer & Witsch, Köln 2010.

Daniil Charms, »Die Mauer«, aus: »Trinken Sie Essig, meine Herren! Daniil Charms. Prosa«, aus dem Russischen von Beate Rausch, hg. von Vladimir Glozer und Alexander Nitzberg, erschienen bei Galiani Berlin, © Verlag Kiepenheuer & Witsch, Köln 2010.

Wjatscheslaw Chartschenko, »Doch zu gebrauchen«, aus: Kristina Senft (Hg.), »Junge russische Literatur«, Übersetzung unter Mitwirkung von Klaus Hähnel, © des deutschsprachigen Textes: dtv Verlagsgesellschaft, München 2012.

Jean Cocteau, »Der Tod des Dichters«, aus: »Opera / Choral«, Werkausgabe Bd. 6, Fischer Taschenbuch, Frankfurt a. M. 1988.

Lydia Davis, »Angst«, aus: »Fast keine Erinnerung. Erzählungen«, aus dem Amerikanischen von Klaus Hoffer, © Literaturverlag Droschl, Graz/Wien 2008, S. 126.

Lydia Davis, »Der Frischwassertank«, aus: »Fast keine Erinnerung. Erzählungen«, aus dem Amerikanischen von Klaus Hoffer, © Literaturverlag Droschl, Graz/Wien 2008, S. 34.

Lothar Deplazes, »Neuschnee«, aus: »Termagls dil temps, Raquens cuorts. Zeitspiele, Kurzgeschichten«, editionmevina-puorger, Zürich 2009.

Adelheid Duvanel, »Ich hasste ihn«, aus: »Gnadenfrist. Erzählungen«, Luchterhand Literaturverlag, Frankfurt a. M. 1991.

Epiktet, »Wenn der Steuermann ruft«, aus: »Handbuch der Moral«, übersetzt von Rainer Nickel, Artemis & Winkler Verlag, Düsseldorf und Zürich, 1991.

Jürgen Fuchs, »Der Friseur«, aus: »Gedächtnisprotokolle«, Rowohlt Taschenbuch Verlag, Reinbek bei Hamburg 1977.

Eduardo Galeano, »Heiligabend«, aus: Erna Brandenberger (Herausgeberin und Übersetzerin), »Cuentos brevísimos. Spanische Kürzestgeschichten«, © des deutschsprachigen Textes: dtv Verlagsgesellschaft, München 1994.

Wilhelm Genazino, »Zwischen fünf und sechs« (Titel vom Herausgeber), aus: »Die Obdachlosigkeit der Fische«, © Carl Hanser Verlag, München 2007.

Robert Gernhardt, »Die Lehre – Aus dem Buch der Wandlungen«, aus: Robert Gernhardt, F. W. Bernstein, F. K. Waechter, »Die Wahrheit über Arnold Hau«, Bärmeier & Nikel, Frankfurt am Main 1966. © Nachlass Robert Gernhardt, duch Agentur Schlück.

Robert Gernhardt, »Sepp Maier«, aus: »Die Blusen des Böhmen«, Verlag Zweitausendeins, Frankfurt am Main 1977, © Nachlass Robert Gernhardt, durch Agentur Schlück.

Brüder Grimm, »Die alte Bettelfrau«, aus: Kinder- und Hausmärchen, Urfassung, hg. von Friedrich Panzer, Emil Vollmer Verlag, Wiesbaden, o. J.

Brüder Grimm, »Das Unglück« aus: »Kinder- und Hausmärchen, Ausgabe letzter Hand, Band 3«, Reclam Verlag, Stuttgart, 1994.

Christian Haller, »Wunsch« (Titel vom Herausgeber), aus: »Kopfüberland«, Edition Klaus Isele, Eggingen 1996.

Johann Peter Hebel, »Brennende Menschen«, aus: »Schatzkäst-
lein des rheinischen Hausfreundes«, hg. von Jan Knopf, © Insel Verlag, Frankfurt am Main/Leipzig 1984.

Herbert Heckmann, »Robinson«, aus: »Gedanken eines Katers
beim Dösen und andere Geschichten«, © Societäts-Verlag,
Frankfurt am Main 2009.

Franz Hohler, »Das Blatt«, aus: »Da, wo ich wohne«, Luchterhand Literaturverlag, München 1993.

Franz Hohler, »Ein Feuer im Garten«, aus: »Ein Feuer im Garten«, Luchterhand Literaturverlag, München 2015.

Ernst Jandl, »der schmutzige bach«, aus: Ernst Jandl, Werke in
6 Bänden, Band 5, S. 386, hg. von Klaus Siblewski, Luchterhand Verlag, München 2016.

Heinz Janisch, »Der schiefe Turm«, aus: »Lobreden auf Dinge«,
Bibliothek der Provinz, Wien/Linz/Weitra 1994.

Hanna Johansen, »An einem Sonntag«, aus: »35-Zeilen-Ge-
schichten«, Werd Verlag, Zürich 1989, © bei der Autorin.

Franz Kafka, »Zerstreutes Hinausschaun«, aus: Die Erzählungen, S. Fischer Verlag, Frankfurt am Main 1961.

Franz Kafka, »Die sieben Weltwunder« (Titel vom Herausgeber), aus: »Beim Bau der chinesischen Mauer«, Fischer Taschenbuch Verlag, Frankfurt am Main 1994.

Marie Luise Kaschnitz, »Schrott und Schrott«, aus: »Ein Lese-
buch 1964–1974«, hg. von Heinrich Vormweg, © Insel Verlag,
Frankfurt am Main 1976.

Marie Luise Kaschnitz, »Im Bockshorn«, aus: »Steht noch dahin«, © Insel Verlag, Frankfurt am Main 1970.

Imre Kertész, »Nach Hause« (Titel vom Herausgeber), aus:
»Letzte Einkehr. Tagebücher 2001–2009 (mit einem Prosa-
fragment)«, © 2011, 2013 Imre Kertész, Rowohlt Verlag, Reinbek bei Hamburg 2013.

Natalja Kljutscharjowa, »Der Autobus«, aus: Kristina Senft

(Hg.), »Junge russische Literatur«, Übersetzung unter Mitwirkung von Angelika Beller und Svetlana Kirschbaum, © des deutschsprachigen Textes: dtv Verlagsgesellschaft, München 2012.

Alexander Kluge, »Kooperatives Verhalten«, aus: »Der Luftangriff auf Halberstadt am 8. April 1945«, © Suhrkamp Verlag, Frankfurt am Main 2008.

Wjatscheslaw Kuprijanow, »Der Geiger im Meer«, aus dem Russischen übersetzt von Peter Steger, Originalbeitrag, © beim Autor.

Bernd-Lutz Lange, »Sichtveränderung«, aus: »Kaffeepause. Texte für zwischendurch«, Forum Verlag, Leipzig 1991.

Root Leeb, »Die Erscheinung«, aus: »Die dicke Dame und andere kurze Geschichten«, ars vivendi verlag, Cadolzburg 2013.

Pedro Lenz, »Die Tätowierung«, Originalbeitrag, © beim Autor.

Gotthold Ephraim Lessing, »Der hungrige Fuchs«, aus: »Fabeln. Abhandlungen über die Fabel«, Verlag Philipp Reclam jun., Stuttgart 1967.

Ruth Lewinsky, »An der Bar«, Originalbeitrag, © bei der Autorin.

Luigi Malerba, »Sightseeing in Rom«, aus: »Taschenabenteuer. Dreiundfünfzig Geschichten«, übersetzt von Iris Schnebel-Kaschnitz, © Verlag Klaus Wagenbach, Berlin 1985.

Luigi Malerba, »Ein nachdenkliches Huhn«, aus: »Die nachdenklichen Hühner. 131 kurze Geschichten«, übersetzt von Elke Wehr und Iris Schnebel-Kaschnitz, © Verlag Klaus Wagenbach, Berlin 1984.

Kurt Marti, »Abendleben«, aus: »Heilige Vergänglichkeit. Spätsätze«, Radius Verlag, Stuttgart 2010.

Mani Matter, »Chanson«, aus: »Das Cambridge-Notizheft«, © Zytglogge Verlag, Oberhofen am Thunersee 2011.

Gerhard Meier, »Maschinen stottern«, aus: »Der andere Tag. Ein Prosastück«, © Zytglogge Verlag, Gümligen 1974.

Gerhard Meier, »Der Präsident spricht«, aus: »Der andere Tag. Ein Prosastück«, © Zytglogge Verlag, Gümligen 1974.

Gerhard Meister, »protestantisch«, aus: »Viicher & Vegetarier«, edition spoken script, Verlag Der gesunde Menschenversand, Luzern 2011.

Klaus Merz, »Mein Werkzeug«, aus: »Am Fuß des Kamels. Geschichten & Zwischengeschichten«, © Haymon Verlag, Innsbruck 1994.

Augusto Monterroso, »Kuh«, aus dem Spanischen übersetzt von Franz Hohler, aus: »Cuentos«, Alianza Editorial, Madrid 1986.

Augusto Monterroso, »Die anderen sechs«, aus: »Das gesamte Werk und andere Fabeln«, aus dem Spanischen von Peter Schultze-Kraft, © der deutschsprachigen Übersetzung: Diogenes Verlag, Zürich 1973.

Alberto Nessi, »Der Junge« (Titel von Herausgeber) aus dem Italienischen übersetzt von Maja Pflug, aus: »Miló«, © Limmat Verlag, Zürich 2016.

Jens Nielsen, »Doku Soap«, aus: »Flusspferd im Frauenbad«, edition spoken script, Verlag Der gesunde Menschenversand, Luzern 2016.

Christine Nöstlinger, »Ameisen«, aus: »Eines Tages. Geschichten von Überallher«, Verlag Beltz & Gelberg, Weinheim/Basel 2002.

Christine Nöstlinger, »Schneewittchen – eine Richtigstellung«, aus: Christine Nöstlinger/Jutta Bauer, »Ein und alles«, Verlag Beltz & Gelberg, Weinheim/Basel 1993.

Helga M. Novak, »Das Licht«, aus: »Aufenthalt in einem irren Haus. Gesammelte Prosa«, © Schöffling & Co., Frankfurt am Main 1995.

Angelika Overath, »Kühe« (Titel vom Herausgeber), aus: »Alle Farben des Schnees. Senter Tagebuch«, Luchterhand Literaturverlag, München 2010.

Erica Pedretti, »Klinge, kleines Frühlingslied« (nacherzählt von Franz Hohler), Originalbeitrag, © bei der Autorin.

Annette Pehnt, »Der kleine Herr Jakobi und das Münster«, aus: »Herr Jakobi und die Dinge des Lebens«, © Piper Verlag GmbH, München 2005.

Ferdinand Pfister, »Der Westen« (Titel vom Herausgeber), aus: »Pfisters Protokoll«, Nr. 54, Olten 2013, © beim Autor.

Alfred Polgar, »Soziale Unordnung«, aus: »Kreislauf. Kleine Schriften, Band 2«, © Rowohlt Verlag, Reinbek bei Hamburg 1982.

Lutz Rathenow, »Ein böses Ende«, aus: »Klick zum Glück«, Wartburg Verlag, Weimar 2010.

Ilma Rakusa, »Die Treppe«, Originalbeitrag, © bei der Autorin.

Tanja Sawitschewa, »Tagebuch«, im Gedenkpavillon für die Verhungerten der Blockade in St. Petersburg.

Walle Sayer, »Ersatzspieler«, aus: »Glockenschläge«, Verlag Klaus Gasseleder, Bremen 1990.

Hansjörg Schneider, »Mein Vater« (Titel vom Herausgeber), aus: »Nilpferde unter dem Haus«, © Diogenes Verlag, Zürich 2012.

Mario Schneider, »Kleine Stadt – alte Menschen«, aus: »Die Frau des schönen Mannes. Erzählungen«, Mitteldeutscher Verlag, Halle (Saale) 2014.

Jürg Schubiger, »Die Einladung«, aus: »Als die Welt noch jung war und die anderen Geschichten«, © Beltz & Gelberg in der Verlagsgruppe Beltz, Weinheim / Basel 2011.

Jürg Schubiger, »Ausnahmsweise«, aus: Franz Hohler/Jürg Schubiger, »Hin- und Hergeschichten«, Verlag Nagel & Kimche, Zürich 1986, © Renate Schubiger-Bänninger.

Kurt Schwitters, »Das ganz einfache Leben«, aus: Das literarische Werk, Bd. 3, © DuMont Buchverlag und Kurt und Ernst Schwitters Stiftung, Köln 1973.

Christoph Schwyzer, »Frau Frank«, aus: »und heim«, Verlag Martin Wallimann, Alpnach 2009.

Simon (7 Jahre), »Spielstand« (Titel vom Herausgeber), Postkarte Leipziger Buchkinder, www.buchkinder.de

Alexander Snegirjow, »Keine Angst, junge Frau!«, aus: Kristina Senft (Hg.), »Junge russische Literatur«, Übersetzung unter Mitwirkung von Angelika Beller, © des deutschsprachigen Textes: dtv Verlagsgesellschaft, München 2012.

Bruno Steiger, »Letzter Gast« (Titel vom Herausgeber), aus: »Das Fenster in der Luft. Aufzeichnungen«, Urs Engeler Editor, Basel/Weil am Rhein 2008.

Jörg Steiner, »Kranführer« (Titel vom Herausgeber), aus: »Im Sessel von Robert Walser. Kartenpost«, Limmat Verlag, Zürich 2015.

Heimito von Doderer, »Das Frühstück«, aus: »Die Erzählungen«, C. H. Beck'sche Verlagsbuchhandlung, München 1995.

Heimito von Doderer, »Ehrfurcht vor dem Alter«, aus: »Die Erzählungen«, C.H. Beck'sche Verlagsbuchhandlung, München 1995.

Albrecht von Haller, »Der Hahn, die Tauben und der Geier«, aus: »Die Alpen und andere Gedichte«, Rascher & Cie. Verlag, Zürich 1919.

Heinrich von Kleist, »Rätsel«, aus: Sämtliche Werke, Insel Verlag, Leipzig, o. J.

Heinrich von Kleist, »Anekdote« aus: Sämtliche Werke, Insel Verlag, Leipzig, o.J.

Peter von Matt, »Merkwürdige Begegnung im Grunewald«, aus: »Geistesblüten – 35 Jahre Autorenbuchhandlung Berlin«, Fürst & Iven GmbH, autorenbuchhandlung berlin, Berlin 2011, © beim Autor.

Peter von Matt, »Der längste Moment meines Lebens«, aus: »Das Magazin«, Nr. 33, 18.8.–24.8. 2012, Verlag TA Media, Zürich, © beim Autor.

David Wagner, »Der Patientenchor« (Titel vom Herausgeber), aus: »Leben«, © Rowohlt Verlag, Reinbek bei Hamburg 2013.

Martin Walser, »Bett beziehungsweise Mutter«, aus: »Autoren von heute zur Literatur von gestern«, hg. vom Leseverein Kilchberg 1872–1972, Verlag Mirio Romano, Kilchberg am Zürichsee 1973, © beim Autor.

Robert Walser, »Morgen und Abend«, aus: Sämtliche Werke in Einzelausgaben, hg. von Jochen Greven, Band 20: »Für die Katz. Prosa aus der Berner Zeit«, 1928-1933. Mit freundlicher Genehmigung der Robert Walser-Stiftung, Bern. © Suhrkamp Verlag Zürich 1978 und 1985.

Silja Walter, »Das Schwert«, aus: »Der Wolkenbaum. Meine Kindheit im alten Haus«, © Paulusverlag, Fribourg 2007.

Anne Weber, »Zielstrebigkeit«, aus: »Ida erfindet das Schießpulver«, © S. Fischer Verlag, Frankfurt am Main 2012.

Anne Weber, »Kaiserin Ida«, aus: »Ida erfindet das Schießpulver«, © S. Fischer Verlag, Frankfurt am Main 2012.

Gisela Widmer, »Liebeserklärung«, aus: Georg Hug (Hg.), »Luzern – eine Entdeckungsreise«, edition stadtcafé, Sursee 2013, © bei der Autorin.

Urs Widmer, »Das Speiselokal« (Titel vom Herausgeber), aus: »Das Buch der Albträume«, illustriert von Hannes Binder, © Carl Hanser Verlag, München 2000.

Ror Wolf, »Gelächter«, aus: »Raoul Tranchirers Bemerkungen über die Stille«, Schöffling & Co., Frankfurt am Main 2005.

Ror Wolf, »Nächtliches Aufschreien«, aus: »Nachrichten aus der bewohnten Welt«, Frankfurter Verlagsanstalt, Frankfurt am Main 1991.

Franz Hohler

Ein Feuer im Garten

128 Seiten, btb 71582

Franz Hohler liebt es, in die Welt hinauszugehen. Bis an den Arabischen Golf und nach Teheran führen ihn seine Reisen. Aber manchmal genügen ihm auch kurze Wege in seine Nachbarschaft, um auf erstaunliche Geschichten zu stoßen.

In diesem Band sind Franz Hohlers neueste Kurzerzählungen versammelt. Sie zeigen den Autor einmal mehr als einen der bedeutendsten Geschichtenerzähler unserer Tage.

»Mit leisem Witz würzt Hohler viele seiner Kurzerzählungen, in denen er das Beiläufige aus der scheinbaren Belanglosigkeit holt und in Literatur verwandelt.«
Frankfurter Allgemeine Zeitung

btb

Franz Hohler

Der Autostopper

Erzählungen

768 Seiten, btb 71403

Erstmals sind in diesem Band sämtliche kurze Erzählungen
von Franz Hohler gesammelt. Das macht diesen Band zu
einem imposanten Zeugnis höchster Erzählkunst aus dem
über vierzigjährigen Schaffen eines der bedeutendsten
Autoren seiner Generation – und zu einem beispiellosen
Lesevergnügen.

»Hinter jeder Biegung lauert in Hohlers Prosa eine
unerwartete Wendung.«
Hamburger Morgenpost

»Wie schön, beim Lesen von einem Erzähler, der mit
Augenmaß, Intelligenz, Drive, Umsicht und Leidenschaft bei
der Sache ist, an der Hand genommen zu werden.«
Neue Zürcher Zeitung

btb

Franz Hohler

Gleis 4

Roman

224 Seiten, btb 74832

Manchmal kommt alles anders.
Und das muss noch nicht einmal schlecht sein.

Eigentlich will Isabelle nur für ein paar unbeschwerte Tage in
den Urlaub nach Italien fliegen. Doch dann bricht der ältere
Herr, der ihr am Bahnhof zum Flughafen freundlicherweise
den Koffer zu den Gleisen hinaufträgt, plötzlich tot zusammen.
An Urlaub ist daraufhin für Isabelle nicht mehr zu denken.
Denn nicht nur fühlt sie sich unschuldig schuldig an dem
Tod des Unbekannten, sondern sie möchte auch unbedingt
herausfinden, wer der Verstorbene gewesen ist.
Und damit gerät sie in eine ebenso ungeheuerliche wie
geheimnisvolle Geschichte, die ihr gewohntes Leben völlig
durcheinander rüttelt.

»Hohler hat den Atem eines Mannes, der der Qualität seiner
Geschichten traut. Er bewegt sich mit so schauriger Grazie auf
sein Ziel zu, dass er immer spannend ist.«
Roger Willemsen

btb